GEORG LOLOS

Halt finden in sich selbst

Georg Lolos

HALT FINDEN IN SICH SELBST

Wie du deinen sicheren Ort entdeckst und belastende Gefühle für immer loslässt

arkana

Penguin Random House Verlagsgruppe FSC® N001967

1. Auflage
Originalausgabe

in der Penguin Random House Verlagsgruppe GmbH,
Neumarkter Straße 28, 81673 München
Lektorat: Diane Zilliges
Umschlaggestaltung: ki 36 Editorial Design, München, Daniela Hofner
Umschlagillustration: © Ruth Botzenhardt
Satz: Satzwerk Huber, Germering
Druck und Bindung: CPI books GmbH, Leck
Printed in Germany
ISBN 978-3-442-34287-7
www.arkana-verlag.de

Besuchen Sie den Arkana Verlag im Netz

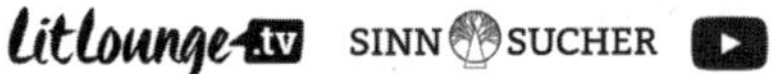

Inhalt

Einleitung 9

Unser inneres Universum begreifen 15

Mentale Gesundheit 16
Von der emotionalen Krise bis zum Klimawandel:
die Auswirkungen unserer mentalen Gesundheit –
persönlich und global.

Wie Bewusstsein funktioniert 30
Die Objekte der Wahrnehmung und die Gravitationskräfte
der Gedanken. Bewusstwerdung: die Identifikation,
der innere Beobachter und das Absolute.

Der innere Beobachter 51
Von der Identifikation in die stille, mitfühlende Wahrnehmung.
Die transformative Superkraft des Beobachters.

Dreizehn Fragen für den Halt in dir selbst 61

Erste Frage: »Wo ist meine Aufmerksamkeit?« 62
Die Frage nach deinen Emotionen, Gedanken und
Körpergefühlen.
Finde: Hier und Jetzt.

Zweite Frage: »Habe ich Mitgefühl?« 79
Die Frage, um das Ego auf Abstand zu halten.
Finde: Herz.

Dritte und vierte Frage: »Was ist im Hier und Jetzt nicht in Ordnung?« »Was ist meine größte Angst?« ... 104
Fragen, um Ängste und Fantasien loszulassen.
Finde: Gleichmut.

Fünfte Frage: »Wer spricht da gerade?« 125
Die Frage nach der inneren Stimme:
Antreiber, Kritiker, Sorge und Anspruch.
Finde: Abstand.

Sechste Frage: »In welchem Raum befinde ich mich?« .. 145
Die Frage nach dem inneren Zustand:
Kontrolle, Minderwert, Hybris ...
Finde: Klarheit.

Siebte Frage: »Beobachte ich aus der Stille?« 175
Die Frage, um innere Weite zu schaffen.
Finde: Frieden.

Achte und neunte Frage:
»Was braucht es?« »Woher kenne ich das?« 190
Fragen nach den Bedürfnissen und der Wiederholung.
Das »Prinzip Innere Kindarbeit«.
Finde: Verständnis.

Zehnte und elfte Frage:
»Fühlt es sich gut an?« »Tue ich es aus Freiheit?« 200
Die Fragen, um die richtige Entscheidung zu treffen.
Finde: *Deinen* Weg.

Zwölfte Frage: »Bin ich sicher?« 209
Die Frage, um die innere Perspektive zu überprüfen.
»The Work«.
Finde: Wahrheit.

Dreizehnte Frage: »Wer oder was bin ich?« 226
Die letzte Frage.
Finde: Unendlichkeit.

Einleitung

Einfach nur eine Frage stellen. Dies ist von jeher das kraftvolle Werkzeug spiritueller Lehrer*innen, um uns in die innere Freiheit zu führen: von den Koans im japanischen Zen-Buddhismus über die Frage »Wer bin ich?« des erleuchteten indischen Meisters Sri Ramana Maharshi bis hin zu Byron Katies »Ist das wahr?«. Diese Fragen sind immer eine Meditation. Sie dienen als Instrument, um die Suchenden nach innen zu führen. Anstatt nur Antworten von außen zu erhalten, entstehen durch die innere Reflexion eigenständige Erkenntnisse, *self-empowerment* und Selbstfürsorge.

Meine erste Meditationsfrage erhielt ich vor über zwanzig Jahren, als ich in das Kloster Plum Village nach Südfrankreich zog. Da ich zu Hause in Deutschland keinen Ausweg aus meiner Depression und der Spirale von Selbsthass und ständiger Betäubung mit Alkohol und Drogen fand, siedelte ich kurzentschlossen in das buddhistische Meditationszentrum um. Plum Village wurde von dem Zen-Meister Thich Nhat Hanh geleitet, den wir alle nur Thay nennen, was im Vietnamesischen »Lehrer« bedeutet. Hier sollte ich die nächsten drei Jahre verbringen. Wenn Menschen mir heute sagen, dass sie den Schritt mutig finden, so lange ins Kloster zu gehen, antworte ich immer: »Ich steckte so tief in einer Krise fest, dass ich nicht das Gefühl hatte, eine andere Wahl zu haben.«

Die erste Frage, die Thay mir als Meditationsübung gab, war: »Bist du sicher?« Sie veränderte direkt meinen Alltag. Jedes Mal, wenn ich im Kloster eine Perspektive einnahm, unter der ich litt, fragte ich mich nun: »Bist du sicher, dass er dich nicht mag? Bist du sicher, dass du nie glücklich werden kannst? Bist du sicher, dass die Mönche dich aus dem Kloster werfen, weil du nicht gut genug praktizierst?« Die Frage schaffte sofort einen Abstand zu dem Blickwinkel, den ich eingenommen hatte, und diese Distanz half mir, mit mehr Klarheit auf die Situationen zu schauen. Ich bemerkte schnell, dass ich mir nie sicher sein konnte. Im Gegenteil: Fast immer war die Realität völlig anders, als meine Gedanken es sich zuvor ausgemalt hatten.

Jede meditative Frage möchte uns an einen inneren Ort führen, welcher »der innere Beobachter« genannt wird oder »die innere Beobachterin«. Man spricht auch vom »Zeugenbewusstsein«. Ich verwende darüber hinaus gern den weniger personalisierten Begriff »das Beobachtende«, weil ich den Eindruck vermeiden möchte, dass es sich hierbei um einen weiteren inneren Anteil handelt, so wie das »innere Kind« oder der »innere Kritiker«. Wie wir noch sehen werden, ist der innere Beobachter nämlich viel mehr als ein innerer Anteil. Er ist das Feld von Präsenz in uns, in dem alle anderen Anteile wahrnehmbar werden. Es ist eine Position von achtsamer Gegenwärtigkeit, aus der wir unsere Perspektiven und emotionalen Zustände mit etwas Abstand wahrnehmen können. Der Einfachheit halber werde ich hier im Buch aber die geläufigere Formulierung »der innere Beobachter«, »die innere Beobachterin« nutzen.

Ganz wesentlich ist die Instanz in jedem Fall, ganz gleich, wie wir sie nennen. Denn nur aus dieser Distanz heraus können wir wirkliche Selbstfürsorge leisten. Solange wir komplett eins sind mit dem leidvollen inneren Zustand, werden wir uns selbst nicht helfen können. Erst als ich nach Plum Village kam, lernte ich, dass es möglich ist, mich aus diesem inneren Beobachter heraus, aus dieser Instanz eines inneren Zeugen heraus zu betrachten und so Abstand zu allen Gefühlszuständen zu bekommen. Dadurch war ich plötzlich in der Lage, mit den schmerzhaften Gedanken und Emotionen in mir umzugehen. Bereits in meiner ersten Woche im Kloster war ich so verblüfft über die Effektivität dieser simplen Methode, dass ich mich erstaunt fragte: »Warum habe ich das nicht früher gelernt? Mir wäre vieles erspart geblieben!«

Die innere Selbstfürsorge lässt sich nicht auslagern, so wie sich das Zähneputzen nicht auslagern lässt. Jeder spirituelle, religiöse oder psychotherapeutische Weg muss eigenverantwortlich beschritten werden. Wir können uns nicht, wie bei einem medizinischen oder handwerklichen Problem, an Experten wenden, die Aufgabe delegieren und sie dann einfach machen lassen. Auch mit einer seelsorgerischen oder therapeutischen Begleitung wird die Arbeit innerhalb des Bewusstseinsfeldes jede Person eigenständig übernehmen müssen, um dauerhaft ein Leben in Frieden und innerer Freiheit führen zu können.

Doch von unserer inneren Verfassung hängt nicht nur unser persönliches Glück ab, sondern auch der Zustand unserer Erde. Ein neuartiger, konstruktiver Umgang mit unseren Ängsten, unserem Ärger und unserer Gier ist sowohl für das Wohlergehen und Überleben der Menschen dringend erforderlich als auch für den Fortbestand aller anderen Lebewesen auf diesem Planeten. Sind wir in der Lage, uns selbst in einen Zustand von Frieden, Klarheit und Mitgefühl zu versetzen, dann werden wir auch nicht mehr so gewalttätig und ausbeuterisch anderen Menschen, Tieren und Pflanzen gegenüber auftreten. Die Auswirkungen unserer mentalen Gesundheit zeigen sich in jeder Facette unseres gesellschaftlichen und politischen Lebens – vom Klimawandel über die Diskriminierungen von Frauen und Minderheiten bis hin zur ungerechten Verteilung der weltweiten Ressourcen.

Beginnen wir unser eigenes inneres Universum zu erforschen, verwandeln wir uns in Bewusstseinswissenschaftler*innen. Wir stellen unser Mikroskop scharf und begeben uns auf die abenteuerlichste und wichtigste aller Expeditionen: auf die Reise nach innen. In diesem Buch möchte ich die Erfahrungen teilen, die ich im Laufe der Jahre als Bewusstseinswissenschaftler gemacht habe. Ich kann Aussagen über das innere Weltall im Allgemeinen treffen, weil ich mein eigenes Bewusstsein sehr gut kennengelernt habe. Darüber hinaus habe ich mit zahlreichen Leuten an ihren persönlichen, partnerschaftlichen, beruflichen und weiteren Schwierigkeiten gearbeitet und weiß, dass sich das innere Universum bei allen Menschen auf eine sehr ähnliche Art und Weise verhält. Tatsächlich ist der Wahnsinn kollektiv. Denn ich höre seit Jahren nichts Neues mehr. Natürlich sind die individuellen Geschichten immer andere, aber die darunterliegende Dynamik und das Muster hinter den Storys, sie wiederholen sich ständig.

Die Prozesse in unserem Bewusstsein können wir mit den Abläufen in unserem physischen Körper vergleichen. Wenn ich mir in den Finger schneide, dann wird mein Organismus dasselbe tun wie der Körper eines anderen Menschen, wenn er sich schneidet. Genauso ist es auch mit unserem Bewusstsein. Nehmen wir zum Beispiel an, dass ich mir ständig Sorgen über die Zukunft mache und Angstfantasien darüber habe, was alles Schlimmes passieren könnte. Dies wird sich auf meine mentale Gesundheit sehr ähnlich auswirken wie auf die psychische Verfassung einer Person am anderen Ende der Welt, die dasselbe tut. Durch das Beobachten eines einzelnen Bewusstseins können wir Aussagen über das Bewusstsein aller Menschen machen.

Dieses Buch möchte dich dabei unterstützen, dir die richtige Frage zu stellen, wenn du in einen emotional schwierigen Zustand hineinrutschst. Im Laufe der Jahre habe ich die Fragen gesammelt, die ich als essenziell für unsere innere Selbstfürsorge erachte. Es sind dreizehn Fragen, die den entscheidenden Drehmoment in deinem Inneren initiieren können, der den Weg aus einem krisenhaften Zustand einläutet. Das bedeutet nicht, dass es nicht Momente in deinem Leben geben kann, wo du dir zusätzlich Unterstützung von außen holen solltest. Doch die Fragen werden dir helfen, auch dies klar zu erkennen. Sie sollen dich in die Lage versetzen, mit mehr Selbstermächtigung dein Leben zu leben.

Ich verbinde mit meiner Arbeit und mit diesem Buch eine Vision. Denn wollen wir in Einklang mit uns selbst, mit anderen Menschen und der Umwelt leben, dann müssen wir als Einzelne ebenso wie als Gesellschaft unsere mentale Gesundheit ins Zentrum der Aufmerksamkeit stellen. Es ist notwendig, dass wir beginnen zu verstehen, wie wichtig eine ausgeglichene psychische Verfassung ist und welche Auswirkungen ein toxischer emotionaler Zustand haben kann. Die Erforschung des Bewusstseins und die Selbstfürsorge brauchen deshalb eine größere Unterstützung durch die politisch Verantwortlichen und das Gesundheitswesen. Auch Schulen und pädagogische Einrichtungen sollten ein ABC der mentalen Gesundheit vermitteln, damit alle Mitglieder unserer Gesellschaft zumindest ein Minimum an Wissen über die Abläufe im Bewusstsein bekommen. So entwickeln sich mit der Zeit souveräne, ausgeglichene und weise Bürgerinnen und Bürger. Doch natürlich beginnt es bei jeder und jedem Einzelnen. Unser innerer Frieden und unsere Klarheit sind die größten Geschenke, die wir uns selbst und dieser Gesellschaft machen können.

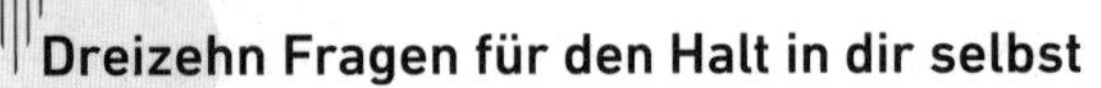

Dreizehn Fragen für den Halt in dir selbst

Nach einem erläuternden Teil über mentale Gesundheit und unser Bewusstsein folgen in diesem Buch in einem zweiten Teil meine Erfahrungen und praktischen Anregungen in Bezug auf dreizehn wesentliche Fragen zur Erweiterung des Bewusstseinsraumes. Nutze diese Fragen als Einstieg in eine Meditation. Lass sie nach innen in die Stille fallen und erlaube der Antwort, in dir aufzusteigen. Jede der dreizehn Fragen wird dir dabei helfen, Abstand zu deinem Leiden herzustellen und den schmerzvollen Zustand zu transformieren, damit deine mentale Gesundheit wieder Balance, Mitgefühl und Klarheit findet.

Einige Sätze, die ich im Schreibprozess als besonders wichtig erachtet habe, wurden im Text hervorgehoben und werden am Ende des Buches noch einmal zusammengefasst aufgelistet.

Unser inneres Universum begreifen

Mentale Gesundheit

Von der emotionalen Krise bis zum Klimawandel:
die Auswirkungen unserer mentalen Gesundheit –
persönlich und global.

Als ich elf Jahre alt war, saß ich mal wieder im Kinderzimmer von meinem besten Freund Jörg. Wir rutschten auf dem Boden herum und waren versunken ins Spiel mit unseren Playmobilfiguren. Plötzlich ging die Tür auf, und Jörgs Bruder kam herein. Ich erinnere mich nicht mehr genau, worum sich der Streit der beiden drehte. Nur noch daran, dass es sehr laut wurde, bevor sein Bruder die Tür wütend hinter sich zuwarf und von draußen schrie: »Du bist ja schwul!« Ich schaute Jörg verwundert an und fragte: »Was ist schwul?« Ich hatte das Wort vorher noch nie gehört. Es waren die Siebzigerjahre, und eine sexuelle Erziehung gab es noch nicht. Mein Freund überlegte eine Zeitlang, bevor er etwas zögernd sagte: »Schwul, das ist, wenn Männer Männer lieben.« Ich stutze innerlich und dachte überrascht: »Aha! So bin ich.« Dann spielte ich weiter mit meinen Figuren.

Ich hatte zwar jetzt ein Wort für das, was ich schon länger empfand, aber ich wusste auch, dass ich es auf keinen Fall jemandem sagen durfte, weil es anscheinend etwas Verbotenes und

Schmutziges war. Die nächsten Jahre verbrachte ich damit, zu verheimlichen und zu unterdrücken, dass ich »dieses Wort« war, und entwickelte darüber eine Mischung aus Minderwertigkeitsgefühlen, Schuld, Scham und Selbsthass. Es dauerte Jahre, bis ich das erste Mal mein Herz in die Hand nehmen konnte, um es einer Freundin zu erzählen. Ich erinnere mich, dass ich aus Angst vor ihrer Reaktion am ganzen Körper zitterte, und war sehr erleichtert darüber, wie viel Verständnis und Mitgefühl sie zeigte. Doch auch als ich später offener über meine Sexualität sprechen konnte, schleppte ich weiter dieses unbestimmte Gefühl mit mir herum, dass ich falsch und etwas mit mir nicht in Ordnung war. In den darauffolgenden Jahren wurde ich immer depressiver. Ich versuchte, diese abwertenden Gedanken in mir mit Alkohol und Drogen zu betäuben – was natürlich immer nur für einen kurzen Moment gelang, bevor sie mit voller Gewalt zurückkamen. Erst als ich nach Plum Village ging, fand ich schließlich einen nachhaltigen Weg, um mit meinen inneren Zuständen umzugehen.

Die Krise unter den Krisen

Welches ist die größte Krise im ganzen Land? Das ist eine schwierige Wahl, denn an Herausforderungen mangelt es uns zurzeit wirklich nicht. Ist es der Klimawandel mit Dürre, Bränden und Hochwasser? Die Millionen Menschen, die auf der Flucht sind vor Hunger und Krieg? Die ungerechte Verteilung der Ressourcen? Oder sind es die vielen privaten Notlagen – die Krankheiten, Ängste, Sorgen und Probleme, mit denen wir tagtäglich zu kämpfen haben?

Doch was wäre, wenn unter all diesen unterschiedlichen Herausforderungen nur eine Ursache schlummert? Eine Ursache, die wir gar nicht richtig im Blick haben, die aber verantwortlich für das Unglück ist, das wir global und privat erleben. Was wäre, wenn es sich um eine unterschwellige Krise handelt, die den Klimawandel überhaupt erst hervorgebracht hat und gleichzeitig für Gewalt, Terror und Mord zuständig ist? Was, wenn dieser Grund auch verantwortlich wäre für Krankheiten wie Bluthochdruck, Diabetes, Schlaganfälle und zusätzlich noch für die Süchte, Angstzustände, Depressionen und Schlafstörungen, unter denen wir leiden?

Es klingt erst einmal sehr unwahrscheinlich, dass man diese Krisen, Krankheiten und Probleme nur auf eine einzige Ursache zurückführen kann. Dennoch gibt es eine Gemeinsamkeit: Sie haben alle mit der mentalen Gesundheit von uns Menschen zu tun. Wie das? Bei Ängsten, Süchten und Depressionen lässt sich das sicher nachvollziehen, aber inwiefern hat die Erwärmung der Erde mit unserem mentalen Zustand zu tun? Oder die Kriege und die Wirtschafts- und Finanzkrisen? Bevor wir diese Fragen beantworten, wollen wir zuerst klären, was mentale Gesundheit ausmacht, und im Anschluss an Beispielen beobachten, wie sie sich beim Einzelnen und gesamtgesellschaftlich konkret auswirken kann.

Was ist mentale Gesundheit?

Ich verwende den Begriff, weil ich mich an dem englischen Ausdruck *mental health* orientiere. Die korrekte Übersetzung wäre wahrscheinlich »geistige Gesundheit«. Doch beim Wort »geistig« schwingen im Deutschen viele verschiedene Konnotationen mit, die verwirren können: Geist = Psyche, Geist = Gespenst, Geist = Verstand, Geist = Seele, Geist = Aufmerksamkeit (im Gegensatz zu geistig abwesend), der Heilige Geist …

Das U.S. Department for Health beschreibt mentale Gesundheit wie folgt: »Mentale Gesundheit beinhaltet unser emotionales, psychisches und soziales Wohlbefinden. Sie beeinflusst, wie wir denken, fühlen und handeln. Sie hilft dabei, zu entscheiden, wie wir mit Stress umgehen, Beziehungen führen und Entscheidungen treffen.«[1]

Laut der Weltgesundheitsorganisation (WHO) leiden in der westlich-pazifischen Welt mehr als einhundert Millionen Menschen an einer psychischen Erkrankung. Was für sich genommen bereits eine enorm hohe Zahl ist. Doch mentale Gesundheit wird nicht erst dann relevant, wenn wir es mit einer Diagnose von beispielsweise Depression oder Burn-out zu tun bekommen. Dies sind klinische Stadien, bei denen bereits über einen sehr langen Zeitraum der inneren Gesundheit keine Aufmerksamkeit geschenkt wurde und dann oft nur noch mit therapeutischer oder ärztlicher Hilfe eine Linderung des Leidens möglich wird. Doch die mentale Gesundheit des Bewusstseins beginnt viel früher, und je eher wir anfangen, selbstfürsorglich mit unseren inneren Zuständen umzugehen, desto weniger müssen irgendwann Fachleute eingreifen.

Von unserer mentalen Gesundheit hängt ab, ob wir glücklich oder unglücklich sind, und dementsprechend, wie wir uns verhalten und mit unseren Mitmenschen umgehen. Alle unsere Entscheidungen und Handlungen werden von dieser inneren Verfassung bestimmt.

Je nachdem, in welchem inneren Zustand wir uns befinden – wie unsere mentale Gesundheit gerade ist –, entscheidet sich Glück oder Unglück für uns und unsere Umwelt.

Eine achtsame Selbstfürsorge hinsichtlich der mentalen Gesundheit bedeutet, dass wir lernen, uns um unsere schwierigen Emotionen und inneren Zustände zu kümmern. Die Auswirkungen auf unsere Welt sind dabei dramatisch. Es ist der Unterschied zwischen Krieg und Frieden, zwischen Gier und Mitgefühl, zwischen Liebe und Angst.

Die mentale Selbstfürsorge ist vergleichbar mit der äußeren. Wir wissen, dass regelmäßige Zahnhygiene, ausreichend Schlaf, Bewegung und gesundes Essen für unsere Gesundheit und unser Glück notwendig sind. Achten wir gut auf unseren Körper, dann haben Fachleute weniger Arbeit mit den Auswirkungen, die sich einstellen, weil die Zähne nicht gepflegt wurden, wir wenig Bewegung hatten oder über Jahre viel Zucker und Alkohol konsumiert haben. Der Einfluss, den Ernährung und Verhalten auf den Körper haben, ist mittlerweile common sense. Gesellschaft und Politik haben dies bereits vor Jahren erkannt und deswegen in Programme investiert, um körperliche Hygiene, Sport und gesunde Ernährung zu fördern. Doch auf die mentale Gesundheit wird bisher kaum ein Augenmerk gelegt, obwohl diese mindestens genauso große Auswirkungen auf unser Glück und Wohlbefinden hat – vielleicht sogar noch größere.

Wie äußert sich (fehlende) mentale Gesundheit?

Genau wie der Zustand unseres Körpers ist auch unser mentaler Zustand kontinuierlich präsent in unserem Alltag und hat dementsprechend immer einen Einfluss auf unser Leben im »Hier und Jetzt«. Wenn unser Körper aus der Balance gerät, dann hat er seine Methoden, um uns zu zeigen, dass er nicht mehr gesund, fit und leistungsfähig ist: Er gibt uns Zeichen. Das können Schmerzen, Schlappheit, optische Veränderungen oder sonstige körperliche Empfindungen und Auffälligkeiten sein, die sich außerhalb unseres normalen Erlebens bewegen. Es sind die Barometer unseres Körpers, um uns darauf aufmerksam zu machen, dass etwas in unserem System nicht stimmt. Doch genau so ein Messgerät gibt es auch für den mentalen Zustand des Bewusstseins. Das Barometer für die mentale Gesundheit ist unsere Emotion. Um unseren inneren Zustand zu erfassen, brauchen wir also nur auf die Emotionen zu schauen, die sich gerade zeigen. Sie werden uns eine direkte Auskunft darüber erteilen, wie es »hier und jetzt« um uns bestellt ist. Erleben wir gerade Ängste und Ärger oder Freiheit, Liebe und Mitgefühl?

Fehlende mentale Gesundheit kann die unterschiedlichsten Auswirkungen auf unser Leben haben. Nehmen wir Martin als Beispiel. Er war verheiratet, Vater einer kleinen Tochter und ein sehr geschätzter Arbeitskollege – liebenswürdig, intelligent und zuverlässig. Martin starb mit achtunddreißig ganz plötzlich und unerwartet an einer Entzündung der Herzklappen. Nach der medizinischen Untersuchung erfuhr seine Familie, dass die Endokarditis durch Bakterien hervorgerufen wurde, die sich ursprünglich in den Zahnwurzeln gebildet hatten. Martin hatte über zwanzig Jahre seine Zähne nicht behandeln lassen. In seinem Kiefer hatten sich im Laufe der Zeit so viele Entzündungen gebildet, dass die Bakterien schließlich das Herz angriffen. Die Diagnose schien für alle klar zu sein: Martin starb wegen der unbehandelten Zahnwurzelentzündungen.

Doch ist dies tatsächlich die ganze Wahrheit? Als Bewusstseinswissenschaftler*innen wollen wir tiefer blicken, um die Realität zu erkennen. Denn was hatte zu dieser Geschichte mit tödlichem Ausgang geführt? Martin hatte panische Angst vor Zahnärzten.

Das war der eigentliche Grund, warum er sich nicht behandeln ließ. Es reicht nicht, den Grund seines Todes in den unbehandelten Zähnen zu suchen. Wir müssen tiefer schauen, um zu erkennen, dass die Ursache in seiner mentalen Gesundheit lag – nämlich in seiner Angst. Und diese Angst muss riesig gewesen sein. Alle, die schon mal eine Zahnwurzelentzündung hatten, wissen, was das für extreme Schmerzen sein können. Martin hatte mehrere solcher Entzündungen, und seine Angst hat ihn, trotz der Qualen, davon abgehalten, Hilfe zu suchen. Wäre er in der Lage gewesen, mit seiner Panik vor Zahnbehandlungen umzugehen oder sich jemandem anzuvertrauen, um daran zu arbeiten, hätte er vielleicht nicht so früh sterben müssen.

Der Einfluss unserer mentalen Gesundheit durchzieht nicht nur jeden Bereich unseres Lebens, sondern auch jede Altersstufe. Würden wir als Kinder schon lernen, mit schwierigen emotionalen Zuständen umzugehen, dann hätten wir ein Handwerkszeug, das uns später viel Leiden erspart. Frühe Traumata, Ängste und innere Konflikte im Kindesalter können uns ein Leben lang begleiten. Ich spreche nicht selten mit Menschen, die über fünfzig, sechzig oder siebzig Jahre alt sind und ihre Kindheitsthemen immer noch mit sich herumschleppen.

Allerdings lernen Kinder nicht so sehr dadurch, dass man ihnen Vorträge über die Wichtigkeit der inneren Selbstfürsorge hält. Sie lernen durch Beobachtung. Kinder schauen sich von ihren Eltern und Erzieher*innen ab, wie man mit schwierigen Situationen umgeht. Wenn sie sehen, dass sich Mama und Papa viele Sorgen machen und immer gestresst sind, dann werden sie glauben, dass das Leben so funktioniert. Die Info, die sie ihren Kindern vermitteln, ist: »Du musst im Leben gestresst sein und dir sehr viele Sorgen machen.« Es nützt also wenig, ihnen Selbstfürsorge oder Achtsamkeit vermitteln zu wollen, wenn wir selbst nicht praktizieren, was wir lehren. Es fängt bei uns Erwachsenen an, und dann werden die Kinder unseren Umgang mit Schwierigkeiten ganz natürlich imitieren.

Ängste und mangelndes Mitgefühl

Zwei emotionale Zustände sind hauptverantwortlich für das Unglück, das wir persönlich erleben, und für die Verfassung, in der sich unser Planet befindet: unsere Ängste und unser mangelndes Mitgefühl. Weil wir nicht gelernt haben, mit unseren Ängsten umzugehen, und gleichzeitig unser Mitgefühl unterentwickelt ist, befinden wir uns individuell und kollektiv in einer Misere. Lass mich dies zuerst an den beiden bereits angesprochenen persönlichen Beispielen veranschaulichen, bevor wir uns den globaleren Problemen zuwenden.

Meine spezifische Angst als junger Heranwachsender hatte damit zu tun, von meinen Freunden und meiner Familie nicht mehr geliebt zu werden, falls die Wahrheit über meine Sexualität ans Licht kommt. Es ist schwer zu vermitteln, wie es ist, mit der ständigen Furcht und Sorge vor einer solchen Entdeckung herumzulaufen. Der emotionale Stress für ein Kind und einen Teenager ist enorm hoch. Was das Ganze allerdings noch schlimmer machte, war das mangelnde Mitgefühl mir selbst gegenüber. Ich hatte die externe Homophobie internalisiert und glaubte dieser Stimme in mir, die mir sagte, dass ich falsch sei. Der Selbsthass führte später auch dazu, dass es mir irgendwann egal war, wie sehr mein Körper unter den fast täglichen Alkohol- und Drogenexzessen litt. Obwohl ich jeden Morgen vollkommen verkatert aufwachte, ging mein erster Griff zur Zigarettenschachtel, die direkt neben meinem Bett und dem überquellenden Aschenbecher lag. Spätestens am Abend hatte ich dann wieder irgendein alkoholisches Getränk in der Hand. Meine Angst, nicht liebenswert zu sein, und das mangelnde Mitgefühl mir selbst gegenüber führten schließlich dazu, dass ich immer tiefer in eine Depression hineinrutschte.

Für Martin, den jungen Vater mit der Zahnarztphobie, waren Angst und mangelndes Selbstmitgefühl sogar tödlich. Einerseits fürchtete er sich vor einer Behandlung, und andererseits hatte er auch nicht genug Anteilnahme für sich selbst, um Hilfe für seine psychischen Probleme zu suchen. Dies sind zwei Beispiele, wie Angst und mangelndes Mitgefühl uns persönlich in eine Krise stürzen können. Wir werden im Laufe des Buches noch sehen, dass diese beiden Aspekte hinter den meisten individuellen Leidensgeschichten stehen und genauso hinter globalen und gesellschaftspolitischen Krisen.

Schauen wir uns nun genauer an, wie sich die mentale Gesundheit von uns Menschen beim dringlichsten Thema unserer Zeit, dem Klimawandel, zeigt. Denn die ersten Auswirkungen der Klimaveränderung bekommen wir bereits zu spüren: In Europa erleben wir Hitzerekorde und Überschwemmungen, und Menschen in anderen Regionen leiden wegen der andauernden Dürre unter Hunger oder müssen aufgrund der klimatischen Veränderungen ihre Heimat verlassen. Was ist aber der Hauptgrund für die Erwärmung unseres Planeten? Normalerweise würden wir sagen, dass es der erhöhte Ausstoß von Treibhausgasen ist und die gleichzeitige Abholzung unserer Wälder. Aber als Bewusstseinswissenschaftler*innen wollen wir auch hier tiefer schauen als nur auf die Symptome, und dazu müssen wir die richtigen Fragen stellen: Wieso wird so viel Kohlenstoffdioxid (CO_2) in die Atmosphäre entlassen, und warum vernichten wir Menschen unsere Wälder? Die Antwort ist: Weil wir immer mehr besitzen und konsumieren wollen. Aber warum wollen wir immer mehr besitzen und konsumieren? Mit dieser Frage nähern wir uns nun den wahren Gründen, und die haben immer mit unserer mentalen Gesundheit zu tun. Denn der Klimawandel und die Vernichtung von Biodiversität sind die unmittelbare Auswirkung unserer Ängste und unseres mangelnden Mitgefühls.

Zwei Ängste sind verantwortlich für unsere Gier nach immer mehr Besitz und Konsum:

1. Wir glauben, durch mehr Wohlstand mehr Sicherheit zu bekommen, und hoffen, dass dadurch unsere ständigen Sorgen verschwinden.
2. Wir werten durch Geld und Vermögen unser Selbstwertgefühl auf. Besonders wenn wir uns minderwertig fühlen und uns danach sehnen, von anderen mehr Anerkennung zu bekommen, kann es sein, dass wir versuchen, durch Besitztümer Wertschätzung und Liebe zu erhalten.

Doch diese beiden Ängste sind nur ein Teil des Problems. Der Klimawandel wird auch von unserem unterentwickelten Mitgefühl vorangetrieben. Den allermeisten Menschen fehlt es bereits an Empathie für sich selbst. Das sehen wir in der Art und Weise, wie kritisch wir mit uns reden oder wie wir uns ohne Gnade pushen und immer weiter ausbeuten. Genau dasselbe machen wir auch mit unserer Umwelt. Für die meisten Menschen sind Tiere und Pflanzen Objekte, die dazu da sind, um benutzt zu werden. Wir sind oft nicht in der Lage, sie als Lebewesen anzuerkennen, die ein Recht auf Dasein besitzen. Diese mitleidslose Haltung führt dann dazu, dass wir erbarmungslos Tiere töten und ganze Spezies ausrotten, Wälder abholzen und Lebensräume zerstören.

Natürlich fällt so ein Verhalten irgendwann auf uns zurück. Die Auswirkungen unseres mentalen Zustandes sehen wir auch in den vermehrten Viruserkrankungen auf unserem Planeten. Laut einer Studie des Umweltprogramms der Vereinten Nationen (UNEP) und dem internationalen Viehzucht-Forschungsinstitut ILRI sterben jedes Jahr rund zwei Millionen Menschen an Krankheiten, die aus der Tierwelt übertragen wurden – die Coronakrise nicht mit eingerechnet, die einigen Forschern nach auch auf diese Art ausgelöst worden sein könnte. Die Verantwortung dafür liegt bei uns Menschen. Denn wenn wir weiter Wildtiere ausbeuten und Ökosysteme zerstören (die Gründe dafür sind wieder Angst und mangelndes Mitgefühl), werden sich in Zukunft immer öfter Krankheiten von Tieren auf den Menschen übertragen.[2]

Unsere mentale Gesundheit ist nicht nur für den Klimawandel und die Vernichtung der Vielfalt im Pflanzen- und Tierreich zuständig. Die Auswirkungen erleben wir auch jeden Tag in zwischenmenschlichen Beziehungen. In einer Studie des Robert-Koch-Instituts aus dem Jahr 2020 zur »gesundheitlichen Lage von Frauen in Deutschland« steht, dass über 50 Prozent aller Frauen schon mal sexuell belästigt wurden.[3] Persönlich finde ich diese Zahl allerdings interessant niedrig und würde jedem raten, dazu eine Umfrage im Familien-, Freundes- und Bekanntenkreis zu starten. Ausnahmslos alle Frauen, mit denen ich darüber gesprochen habe, wurden irgendwann schon mal sexuell belästigt oder haben noch schlimmere Gewalt von Männern erfahren. Die WHO bezeichnet Gewalt als das zentrale Risiko für die Gesundheit von Frauen und Kindern.[4]

Schauen wir im Internet in die Kommentare, die unter entsprechenden Artikeln und Tweets von Frauen stehen, zeigt sich die Verfassung der mentalen Gesundheit von einigen Männer besonders stark. Der Hass und die abwertenden Bemerkungen gegenüber Frauen haben solche Ausmaße angenommen, dass die Forschung dafür einen Begriff geprägt hat: Online-Misogynie. Dabei werden Frauen mit einem Migrationshintergrund, »Women of Color« oder wenn sie Kopftuch tragen, besonders stark angefeindet. Manche Frauen haben sich von Social-Media-Plattformen verabschiedet, weil sie den Hass nicht länger ertragen konnten.[5]

Angst und mangelndes Mitgefühl zeigt sich oft auch in unserem Umgang mit Geld und Besitz. Ein extremes Beispiel dafür ist die CumEx-Steueraffäre – der größte Steuerbetrug in der Geschichte Deutschlands. Findige Geschäftemacher kassierten mit einem Trick Steuerrückzahlungen in Milliardenhöhe, obwohl sie die Steuern zuvor nie gezahlt hatten. Dahinter standen in den meisten Fällen Banker, Anwälte und Personen, die alle bereits sehr vermögend waren. Es muss ein Problem mit der mentalen Gesundheit vorhanden sein, wenn Menschen, die bereits so viel besitzen, glauben, immer noch mehr haben zu müssen.

Dass wir Süchte nicht ignorieren dürfen und diese behandelt werden müssen, ist mittlerweile in weiten Teilen der Bevölkerung und der Gesundheitspolitik als Erkenntnis angekommen. Doch mangelndes Mitgefühl und ständige Sorgenschleifen sind genauso Themen unserer Gesundheit wie Süchte. Sind wir alkoholabhängig, gelten wir als krank und erhalten Unterstützung durch Kliniken oder Selbsthilfegruppen und suchen Fachleute auf. Doch was ist, wenn wir zum Beispiel eine Gier- oder Hassattacke erleben? Sich um diesen inneren Zustand zu kümmern ist mindestens genauso wichtig. Doch Hassattacken werden sehr oft erst dann thematisiert, wenn sie in ein strafrechtlich relevantes Verhalten mündeten, zum Beispiel bei Stalking, Betrug oder körperlicher Gewaltanwendung.

Würden wir anfangen, unserer mentalen Gesundheit mehr Beachtung zu schenken, wäre der Alltag für einen Großteil der Bevölkerung transformiert. Frauenfeindlichkeit, Rassismus, Homophobie, Islamophobie und so weiter brauchen nicht nur innenpolitische oder soziologische Antworten. Diese Anfeindungen haben nicht nur eine Auswirkung auf die Gesundheit der Betroffenen, sondern sind vor allem auch eine Aussage über die mentale Gesundheit der Personen, die diesen Hass säen. Wenn jemand den Gedanken äußert: »Ich hasse Schwule» oder »Schwarze sind weniger wert als Weiße«, dann ist dies nicht einfach nur eine politische Ansicht, sondern auch ein direkter Bericht über seinen oder ihren inneren Zustand. Meine Sichtweise auf mich, auf die Welt und auf politische Themen hat immer auch mit meiner mentalen Gesundheit zu tun.

Heilung für uns und die Welt

Wir haben nun gesehen, wie weitreichend die Auswirkungen der mentalen Gesundheit sind. Vom persönlichen Problem bis zu globalen Ereignissen spielt sie eine entscheidende Rolle. Für unsere individuelle und gesellschaftliche Heilung genauso wie für die Heilung unserer Erde ist es deshalb erforderlich, dass wir anfangen, uns mit unserer mentalen Gesundheit auseinanderzusetzen. Ähnlich wie bei der körperlichen Gesundheit gibt es auch hier zwei Aspekte zu berücksichtigen:

1. eine kontinuierliche Selbstfürsorge zur Erhaltung der mentalen Gesundheit.
2. ihre Wiederherstellung, falls wir in einen schwierigen emotionalen Zustand gerutscht sind.

Für den Körper haben wir viele Methoden trainiert: Wir duschen, putzen Zähne, waschen uns die Hände und so weiter. Weniger bekannt, aber dennoch seit vielen Jahrtausenden entwickelt und verfeinert ist eine Vielzahl von Techniken, um uns innerlich klar und friedvoll zu halten oder um unseren inneren Frieden wiederzufinden, falls wir herausfallen. Es ist nicht so schwierig, sich um schmerzhafte emotionale Zustände zu kümmern. Wäre ich als Kind oder junger Erwachsener dazu in der Lage gewesen, dann hätte ich nicht so selbstverletzende Dinge unternommen und dabei nicht noch andere Menschen verletzt. Auf meinem inneren Harakiri-Trip schlug ich fleißig um mich, beschämte Freunde oder brach Kontakte ab. Mein mangelndes Mitgefühl für mich erweiterte ich auf mein Umfeld. Das hätte nicht sein müssen. Alle Menschen sollten in der Lage sein, zumindest ein Basis-Handwerkszeug zu bedienen, um mit schwierigen emotionalen Zuständen umzugehen. Wie viel sicherer, friedvoller und mitfühlender würde es dann auf unserem Planeten zugehen!

Wie Bewusstsein funktioniert

Die Objekte der Wahrnehmung und
die Gravitationskräfte der Gedanken.
Bewusstwerdung: die Identifikation,
der innere Beobachter und das Absolute.

Das Schlüsselelement zur mentalen Selbstfürsorge ist die Achtsamkeit. Achtsamkeit zu praktizieren bedeutet, liebevoll zu erkennen, aus welcher Perspektive du gerade beobachtest, um im nächsten Schritt diesen Blickwinkel zu verändern, wenn du feststellst, dass du darunter leidest oder andere leiden lässt.

Wir beobachten die ganze Zeit. Selbst während wir schlafen, nehmen wir etwas wahr. Spricht uns jemand mitten in der Nacht an, dann wachen wir auf. Offensichtlich reagiert irgendetwas in uns auf die Ansprache. Das, was da reagiert, ist der bereits erwähnte innere Beobachter, die innere Beobachterin. Doch es ist nichts Personalisiertes, eher ist es der Platz, von dem aus wir wahrnehmen. Dieser Ort der Wahrnehmung war schon da, bevor wir geboren wurden und noch als Embryos im Bauch unserer Mütter lagen. Dieser Beobachter existierte, bevor wir eine Identität mit

Namen oder Geschlecht angenommen hatten und lange bevor irgendein Gedanke in uns auftauchte.

Aber wer oder was genau ist dieser stille Beobachter, diese Beobachterin? Normalerweise würden wir nun antworten: »Ich bin das.« Und wer ist dieses »Ich«, wenn es keinen Namen, kein Geschlecht und ursprünglich nicht einmal die Vorstellung davon hatte, ein Mensch zu sein? Ist der Beobachter nur ein Haufen von Körperzellen? Wer oder was ist dieses »Bewusstsein«, das beobachtet? Wer oder was ist unser Ursprung und unsere Quelle?

Lass dich bitte nicht abschrecken, wenn dir diese Fragen erst einmal zu abstrakt oder zu philosophisch erscheinen. Die Bedeutung dessen, was da schaut, ist nicht zu unterschätzen. Auch wenn es pathetisch klingen mag: Von diesem inneren Zeugen, dieser Zeugin hängt unsere Freiheit ab. Davon hängt ab, ob wir unser Leben in Zufriedenheit und Liebe leben oder in Angst, Ärger, Bedürftigkeit und Gier. Jede Frage, die wir in diesem Buch stellen, soll uns als Meditation dienen, durch die wir – Schritt für Schritt – diese beobachtende Instanz in uns entdecken. Um jedoch zu erläutern, wer oder was dieser innere Ort der Beobachtung ist, müssen wir zuerst verstehen, wie unser Bewusstsein funktioniert. Dafür schauen wir uns folgende fünf Aspekte im Wahrnehmungsfeld genauer an:

1. Perspektive
2. Objekte der Wahrnehmung
3. Aufmerksamkeit
4. Verstand
5. Glaube, Gravitation

Erster Aspekt der Wahrnehmung: Perspektive

Wieso halten wir uns für nicht liebenswert und versuchen immer anderen zu gefallen? Wieso töten Menschen oder begehen Suizid? Wieso glauben manche daran, dass der Holocaust nie stattgefunden hat oder dass der Klimawandel nicht existiert? Wie entsteht eine Perspektive von: »Ich brauche dies oder jenes unbedingt, und es ist mir egal, wie sehr Menschen, Tiere und die Umwelt darunter leiden. Ich brauche es, ich muss es einfach haben.«?

Stellen wir uns vor, dass unser Bewusstsein ein Universum ist. In diesem weiten Feld können wir uns irgendwo einen Platz aussuchen – freie Sitzwahl. An dem Ort, den wir uns im inneren Weltall auswählen, landen wir mit unserem Raumschiff und richten uns ein. Dies ist nun unser Blickwinkel, von dem aus wir uns und die Welt betrachten. Diese Perspektive ist maßgeblich dafür verantwortlich, was wir gerade denken, wie wir uns fühlen und wie wir handeln. Je stärker wir uns hier verankern, desto stärker sind wir identifiziert mit diesem Ort, das heißt: Wir glauben, dass diese Perspektive richtig und wahr ist.

Ein simples Beispiel: Nehmen wir an, du fährst mit dem Fahrrad oder mit dem Auto irgendwo entlang und ein anderes Auto hat so geparkt, dass du absteigen musst oder gezwungen bist, eine längere Zeit zu warten.

Wir wollen uns nun zwei Szenarien vorstellen:

- Erstes Szenario: Du wirst wütend und beginnst zu schimpfen. Die Beschwerde könnte nur in deinem Kopf stattfinden oder lautstark sein. Vielleicht ist die Wut sogar so groß, dass du mit dem anderen Autofahrer einen Streit anfängst.

- Zweites Szenario: Du bleibst ruhig. Vielleicht hörst du gerade ein Hörbuch, ein gutes Lied oder etwas Spannendes im Radio. Vielleicht genießt du es auch einfach nur, deinen Atemzügen zu folgen und zu entspannen.

In unseren Achtsamkeitskursen gibt es folgende Aufforderung: Wir warten nicht, wir atmen. Anstatt dass du dich darüber aufregst, dass du wieder irgendwo warten musst, kannst du die Zeit genauso gut nutzen, um mithilfe des Atems ins »Hier und Jetzt« zu kommen, und dich in die Situation hinein entspannen. Schließlich ist dies gerade die Realität, und die ändert sich nicht dadurch, dass du dich ärgerst oder einen Streit beginnst.

Im zweiten Szenario hast du damit eine völlig andere Perspektive eingenommen als im ersten. Es ist der Unterschied zwischen Krieg und Frieden. Du wirst in deinem Leben beide Sichtweisen kennen. Und es könnte sogar sein, dass du manchmal innerhalb von Sekunden von einer Perspektive in die nächste wechselst. Denn der Ort deiner Wahrnehmung ist nicht fixiert. Dein inneres Raumschiff kann jederzeit wieder abheben, sich woandershin bewegen, und dein Blickwinkel ist plötzlich ein anderer. Das passiert in der Regel auch ständig. Gerade bist du noch verärgert oder besorgt und eine kurze Zeit später fröhlich. Oder umgekehrt.

Vor einiger Zeit bin ich mit einem Auto eine enge Einbahnstraße entlanggefahren. Ich war mit einem CarSharing-Fahrzeug unterwegs, das ich wieder zurück zu seinem Parkplatz bringen wollte. Dafür musste ich stoppen und aussteigen, um den Sperrpfosten am Abstellplatz herunterzuklappen. In dem Moment, als ich anhielt, fing der Autofahrer hinter mir an zu hupen. Ich konnte durch den Rückspiegel sehen, wie er wild gestikulierte und offensichtlich aufgebracht war. Als ich ausstieg, drehte ich mich zu ihm hin, um anzuzeigen, dass ich nur kurz den Pfosten lösen wollte. Da erkannte ich, dass der Fahrer ein Teilnehmer aus einem meiner Achtsamkeitskurse war. In dem Moment, als er mich sah, änderte sich seine emotionale Verfassung sofort. Jetzt wirkte er eher etwas verstört und winkte freundlich zu mir herüber. Offensichtlich hatte sich sein Blickwinkel innerhalb von Sekunden geändert.

Doch was genau bringt uns dazu, den Anker unseres inneren Raumschiffs genau an diesem speziellen Platz im Wahrnehmungsfeld auszuwerfen? Warum nehmen wir manchmal die Perspektive von Krieg ein und bei einer anderen Gelegenheit von Frieden? Und wie kann es sein, dass sich eine Sichtweise so schnell verändert? Die Antwort auf diese Frage hat eine enorme Bedeutung. Denn wenn wir das Rätsel dazu lösen können, bekommen wir Macht über unseren inneren Zustand und somit über die Perspektive auf uns und auf die Welt.

Zweiter Aspekt der Wahrnehmung: Objekte

Wenn wir den Vergleich zwischen Universum und Bewusstsein wieder aufgreifen, dann können wir beobachten, dass das äußere Universum hauptsächlich leer ist und nur zu etwa 5 Prozent aus sichtbarer Materie besteht. Diese Materie manifestiert sich in Objekten. Die Objekte im Weltall können alles Mögliche sein: Planeten, Monde, Sterne, Gase, Asteroiden, Kometen, Galaxien, schwarze Löcher und so weiter. Ähnlich wie das äußere Universum besteht der Großteil unseres inneren Weltalls ebenfalls aus Leere, aus weiter Stille, aus Nichts. Und genau wie im Universum da draußen können sich im weiten Feld unseres Bewusstseins verschiedene Objekte manifestieren.

Objekte, die im Bewusstsein auftauchen können:

- Alles, was die Sinnesorgane wahrnehmen: was wir sehen, hören, riechen, schmecken, tasten, spüren.
- Emotionen: Freude, Angst, Sorge, Ärger …
- Gedanken, innere Bilder, Vorstellungen, Erinnerungen.

Was nimmst du in diesem Moment wahr? Alle Dinge, die du beobachten kannst, bezeichnet man in der Achtsamkeits- und Meditationspraxis als Objekte. Ich kann zum Beispiel mit Sicherheit sagen, dass du hier und jetzt dieses Buch oder E-Book und diese Zeilen wahrnimmst. Also ist dieser Text gerade ein Objekt deiner Wahrnehmung. Alle Objekte, die dein Universum betreten, werden von deinen Sinnen erfasst. Der jeweilige Sinn ist das Tor, durch welches das Objekt Zugang in dein Bewusstsein erlangt: Auge, Mund, Nase, Körper und Gehirn. Würde ein Sinn wegfallen, dann wäre für dich auch das Objekt nicht mehr da – zum Beispiel bei einem Gehörverlust, einer Erblindung oder dem Verlust des Geschmacks- oder Geruchssinns. Kinder (und auch einige Erwachsene) schließen manchmal bei Gefahr die Augen, um dadurch dem Objekt ihrer Angst zu entgehen. Nach dem Motto: Was ich nicht sehe, ist nicht in meinem Bewusstsein, existiert nicht und bedeutet somit keine Gefahr.

Hier und jetzt ist also dieser Text das Objekt deiner Wahrnehmung. Genauso sind die Geräusche und/oder Stimmen, die du möglicherweise gerade hörst, Objekte in deinem inneren Universum. Außerdem all das, was du in diesem Augenblick riechst, schmeckst oder mit deinem sonstigen Körper ertastest: Die Kleidung, die du spürst, ist ein Objekt, der Boden, der Stuhl, das Bett oder Sofa, die Wärme, Kälte und so weiter.

Doch Objekte müssen nicht materiell sein. Vielleicht bist du gerade genervt über das, was du hier liest. Dann ist dieser Ärger ebenfalls ein Objekt deiner Wahrnehmung. Genauso können es aber auch andere Emotionen wie Freude, Sehnsucht, Angst oder Sorge sein, die gerade als Objekte durch dein Bewusstsein segeln. Allerdings tauchen Emotionen nie plötzlich und aus dem Nichts auf. Sie geben uns einen wichtigen Hinweis darauf, welche Gedanken anwesend sind. Denn es muss immer ein Gedanke da sein, damit danach eine Emotion entstehen kann. Erst wenn zum Beispiel der Gedanke auftaucht: »Ich verschwende meine Zeit mit diesem Buch«, wird sich kurze Zeit später der Ärger manifestieren.

Gedanken, Bilder und Vorstellungen sind also enorm wichtige Objekte in deinem inneren Universum. Wir werden noch sehen, dass sie immer eine entscheidende Rolle dabei spielen, wie es uns im »Hier und Jetzt« geht.

Du siehst: Alles, was in diesem Moment in deinem Wahrnehmungsfeld auftaucht, ist ein Objekt, das du beobachten kannst. Und im Weltall deines Bewusstseins fliegt ständig irgendetwas herum. Doch das allermeiste davon – sei es physisch, emotional oder mental – beachtest du gar nicht, obwohl du es registriert hast. Die Objekte fliegen durch das Tor der Sinne hinein in dein Wahrnehmungsfeld, sind eine Zeitlang da und fliegen dann wieder heraus, ohne dass du dich ihnen zuwendest. Gerade jetzt – während du liest – nimmt dein Gehör sicher bestimmte Geräusche wahr. Aber du ignorierst die meisten davon. Genauso können auch immer wieder Gedanken in dein Bewusstsein kommen, ohne dass du dich für sie interessierst oder dich in einer Stunde erinnern wirst, welche es genau waren, weil sie dir nicht als wichtig erscheinen.

All diese Objekte sind erst einmal »unschuldig«. Denn solange sie von dir nicht bewertet oder beurteilt werden, sind sie einfach das, was sie sind. Landet zum Beispiel jetzt eine Fliege auf deiner Hand, dann könntest du sie ohne jeden inneren Kommentar wahrnehmen. Du kannst sie mit den Augen betrachten und spüren, wie ihre Beine auf deiner Haut herumkrabbeln. Ohne eine Bemerkung des Verstandes bleibt die Fliege ein unschuldiges Objekt deiner Wahrnehmung. Vielleicht kannst du sogar ihre Schönheit aus deiner Stille heraus bewundern.

> Wenn du jedoch beginnst, dieses Objekt zu kommentieren und zu beurteilen, verliert es seine Unschuld. Das ist der Augenblick, wo du etwas von dem Objekt haben willst oder nicht haben willst.

Vielleicht möchtest du, dass die Fliege verschwindet, schüttelst sie ab und ärgerst dich darüber, dass sie immer wieder zurückkommt. Es kann auch sein, dass du aufstehst und versuchst, sie zu erschlagen, weil du dich so sehr gestört von ihr fühlst. Der Moment, in dem wir anfangen, die Objekte zu kommentieren und zu bewerten, ist in der Regel genau der Moment, in dem die Schwierigkeiten in unserem Leben beginnen und wir unserem Umfeld Leid zufügen – in diesem Fall der Fliege.

Dritter Aspekt der Wahrnehmung: Aufmerksamkeit

Um die Objekte, die dein Wahrnehmungsfeld betreten, zu scannen, zu kommentieren und einzuordnen, stehen dir zwei Instrumente zur Verfügung: deine Aufmerksamkeit und der Verstand. Aufmerksamkeit ist die Kundschafterin in deinem Bewusstsein. Nachdem ein Objekt durch das Tor deiner Sinne in dein Wahrnehmungsfeld gelangt ist, beginnt dieser Späher, das Objekt zu untersuchen. Die Aufmerksamkeit ist quasi ein Scanner oder funktioniert wie ein Scheinwerfer. Sie beleuchtet alle Besucher des Bewusstseins, und du entscheidest, welchem Gast sie mehr Aufmerksamkeit schenken und welchen sie eher ignorieren soll.

Wenn dir ein Objekt interessant erscheint, zoomt deine Aufmerksamkeit näher heran und verankert sich darauf. Falls kein Interesse daran besteht, lässt die Aufmerksamkeit das Objekt weiterziehen. Jetzt gerade zum Beispiel verankerst du einen Teil deiner Aufmerksamkeit auf diesen Zeilen. Doch die meiste Zeit des Tages sind wir nicht so fokussiert. In der Regel lassen wir die Aufmerksamkeit ohne Kontrolle durch unser inneres Weltall treiben. So springt ihr Lichtkegel ziemlich wahllos von einem Objekt zum nächsten – von einem Gedanken zum anderen. Mal bist du mit Geschichten aus der Vergangenheit beschäftigt, und im nächsten Moment ziehen dich Gedanken über mögliche Zukunftsprobleme in ihren Bann. Diese mangelnde Kontrolle darüber, wohin die Aufmerksamkeit hüpft oder welcher nächsten Assoziation sie folgt, ist eines der großen Probleme der Menschheit.

Wenn du dort, wo ich wohne, einen Spaziergang durch den Stadtwald machst, dann kannst du den Scheinwerfer deiner Aufmerksamkeit auf die Bäume und den Vogelgesang richten oder auf die Hundehaufen am Wegesrand. Es ist wie ein TV-Programm, das du entscheidest einzuschalten. Du kannst Baum-Reality-TV gucken oder Hundekot-Reality-TV. Die Wahl liegt bei dir. Die weisen Frauen und Männer, die uns die Praxis von Achtsamkeit und Meditation übermittelt haben, wussten, dass Aufmerksamkeit eine unserer großen Kräfte ist. Ihre bedeutsame Erkenntnis war:

> Da, wo sich deine Aufmerksamkeit
> befindet, fließt deine Energie hin.
> Dort entsteht deine Realität.

Neulich bin ich durch den Wald gegangen und habe gesehen, dass irgendjemand Zahnstocher mit kleinen Fähnchen in jeden einzelnen Kothaufen am Wegesrand gesteckt hatte, um die Aufmerksamkeit der Hundebesitzer darauf zu lenken. Anscheinend hatte die Person ihr Programm auf Hundekot-TV geschaltet.

Je nachdem, wo die Aufmerksamkeit innerhalb deines Wahrnehmungsfeldes gerade ist, wird deine Perspektive kreiert. Sitzt du am Meer, und dein Blick und deine Aufmerksamkeit schweifen gedankenleer über das Wasser, wirst du natürlich eine andere Realität erleben, als wenn du an demselben Ort die Aufmerksamkeit auf Gedanken von Sorgen oder Ängsten richtest. Du kannst an dem schönsten Ort der Welt sein, und dennoch könnte deine Aufmerksamkeit ausgerichtet sein auf die Hölle.

> Jede spirituelle Praxis möchte dich darin trainieren, deine Aufmerksamkeit zu lenken und zu leiten.

Vierter Aspekt der Wahrnehmung: Verstand

Hat die Aufmerksamkeit ein Objekt ins Visier genommen, übermittelt sie die Informationen an den Verstand. Er ist das zweite maßgebliche Instrument in deinem Bewusstseinsuniversum. Seine Aufgabe ist es, alle Objekte einzuordnen, zu analysieren und zu bewerten. Diese Bewertungen basieren auf deinen gesammelten Erfahrungen, auf Erziehung, Sozialisierung und Vererbung. Der Verstand macht Vorschläge, aber du – als das bewusste Selbst – entscheidest, ob du ihnen folgst oder nicht. Nimm wahr, dass ich eine sehr klare Unterscheidung treffe zwischen dem Verstand und dir. Dein Verstand und du, ihr seid nicht ein und dasselbe.

Bloß weil eine Stimme in deinem Kopf auftaucht, bedeutet das nicht, dass du diese Stimme bist oder dass der Gedanke wahr sein muss!

Die Stimmen, die du hörst, sind sehr oft antrainiert. Du hast sie übernommen von deinen Eltern, Lehrer*innen, Freund*innen und anderen. Das, was der Verstand als Instrument leistet, ist die überragende Fähigkeit des Menschen. Ohne ihn wären wir als Spezies nicht dort, wo wir heute sind – im positiven und auch im negativen Sinne. Wir können ihn benutzen, um uns daran zu erinnern, dass wir noch Brot kaufen müssen, um eine mathematische Aufgabe zu lösen oder um einen ganzen Staat zu organisieren. So eingesetzt ist er eine enorme Hilfe. Doch wenn wir nie gelernt haben, Abstand zum Verstand herzustellen, und uns zu 100 Prozent auf seine Einschätzungen verlassen, erzeugen wir Leiden für uns und andere.

Nehmen wir beispielhaft noch mal die Situation, als ich feststellte, schwul zu sein. Diese Erkenntnis kommentierte mein Verstand unmittelbar extrem kritisch. Seine Bewertung und Analyse basierten natürlich auf den Informationen, die er von meinem Umfeld und der Gesellschaft gesammelt hatte. Die Gedanken, die er in mein inneres Universum schickte, waren: »Ich bin nicht liebenswert. Ich bin nicht normal. Das ist pervers«, um nur eine kleine Auswahl davon zu nennen. Nachdem der Verstand seine Kommentare abgegeben hat, folgt ein ganz besonders kritischer Moment für die Verfassung des Bewusstseins und somit für den inneren Zustand. Denn:

Glauben wir dem Verstand mit seiner Einschätzung, nehmen wir eine bestimmte Perspektive im Bewusstseinsfeld ein.

Wir verankern uns auf dieser Position und werden jetzt mit diesem Blick auf uns und die Situation schauen. Ich hätte die Einschätzungen meines Verstandes auch einfach ignorieren können. Doch ich entschied mich, ihnen zu glauben, und rutschte so in einen depressiven Zustand hinein.

Nehmen wir ein anderes Beispiel: Du bist im Straßenverkehr unterwegs, und dein inneres Universum ist relativ still. Doch plötzlich stellst du fest, dass ein Autofahrer wild in deine Richtung gestikuliert. Die Gestik des Fahrers wird zum Objekt deiner Aufmerksamkeit. Du kannst dir einen Mittelfinger vorstellen oder wie der Mann mit der flachen Hand vor seinem Kopf hin und her wedelt. Deine Aufmerksamkeit registriert dies und sendet die Information weiter an deinen Verstand. Der Verstand wird von dem Input getriggert, weil er die Geste als etwas Negatives bewertet, und beginnt sofort zu kommentieren. Nun könnte zum Beispiel wieder eine kritisierende Stimme das Feld betreten. Diesmal kritisiert die Stimme aber nicht nach innen, sondern nach außen: »Was fällt dem ein! So ein Idiot! Ich habe gar nichts falsch gemacht!«

Die Gestik des Fahrers ist ein »Objekt der ersten Generation«. Sie ist an sich unschuldig. Eine Hand bewegt sich auf eine bestimmte Art und Weise. Versetze dich für einen Moment in die Perspektive eines zweijährigen Kindes, eines Hundes oder nimm den Blickwinkel einer Person aus einer Kultur ein, die mit so einer Gestik überhaupt nicht vertraut ist. Alle drei würden dieselbe Bewegung sehen, aber ihr Verstand würde sie wahrscheinlich gar nicht oder zumindest völlig anders kommentieren. Bloß dadurch, dass die Aufmerksamkeit das Objekt wahrnimmt, ergibt sich noch kein Problem. Nachdem aber dein Verstand die Kritikerstimme ins Bewusstseinsfeld entlassen hat, entscheidet sich, ob du dieser Stimme glaubst oder nicht. Wenn du den Gedanken vertraust, die der Verstand ausgesandt hat, entsteht eine Perspektive. Du nimmst jetzt im inneren Universum einen bestimmten Platz ein und verankerst dich dort. Von diesem Ort aus schaust du nun auf die Welt. In diesem Fall ärgerlich oder frustriert. Doch du hättest genauso die Wahl, dem Verstand nicht zu glauben und dadurch einen Platz einzunehmen, an dem Frieden herrscht.

Fünfter Aspekt der Wahrnehmung: Glaube und Gravitation

Bloß weil ein Objekt im Universum deines Bewusstseins auftaucht, bedeutet dies noch nicht, dass du dich für dieses Objekt (den Gedanken) interessieren musst. Ganz viele Objekte fliegen ständig durch das Feld, und dennoch schenkst du ihnen keinerlei Aufmerksamkeit. Warum wirst du also von einigen Objekten stärker angezogen als von anderen? Entscheidend dafür, ob ein Gedanke für die Aufmerksamkeit interessant ist oder nicht, ist die Energie oder die Masse, die er mit sich trägt.

Wieder können wir unser inneres Universum mit dem äußeren vergleichen. Wir wissen seit Einstein, dass Energie und Masse äquivalent sind. Das heißt, je mehr Energie vorhanden ist, desto mehr Masse ist auch anwesend. Ein Objekt, das besonders viel Energie (und somit Masse) hat, besitzt eine stärkere Anziehungskraft als Objekte mit weniger Masse. Würden wir in einem Raumschiff – ohne Beschleunigung – durch das Weltall reisen und kämen wir in die Nähe der Erde, dann würde der Planet das Schiff in seine Richtung ziehen. Wegen der großen Masse krümmt sich die Raumzeit so stark um die Erde, dass wir uns unweigerlich in ihre Richtung bewegten. Dasselbe würde passieren, wenn wir uns der Sonne oder einem schwarzen Loch näherten – allerdings in einem noch viel stärkeren Maße. Durch die enorme Masse dieser Objekte würde sich die Anziehungskraft um ein Vielfaches erhöhen.

Nun zurück zum Bewusstsein – denn der Ablauf in unserem inneren Weltall ist ganz ähnlich. Auch Gedanken sind Energie. Je mehr Masse sie tragen, desto größer ist ihre Anziehungskraft. Im Bewusstsein ist es kein Raumschiff, sondern unsere Aufmerksamkeit, die durch das innere All reist.

> Taucht ein Gedanke auf, der viel Masse/Energie hat, dann wird die Aufmerksamkeit zwangsläufig in seine Richtung gezogen.

Aber was ist ein Gedanke mit einer hohen Energie, und wodurch entsteht diese Masse? Nehmen wir an, du sitzt zu Hause und liest etwas Spannendes an deinem Rechner oder in einem Buch. Plötzlich stellst du fest, dass es verbrannt riecht. Der Text, den du liest, war bis zu dem Zeitpunkt das Objekt deiner Wahrnehmung. Doch nun kommt noch ein weiteres Objekt hinzu: der Brandgeruch. Deine Aufmerksamkeit bemerkt ihn und leitet die Information an den Verstand weiter. Der Verstand reagiert sofort mit einem Gedanken: »Es brennt!« Dieser Gedanke ist ein Objekt der zweiten Generation, der von dem ersten Objekt – dem Brandgeruch – hervorgerufen wurde. Der Ausruf »Es brennt!« reist nun durch dein inneres Universum. Glaubst du diesem Gedanken, dann wird er eine enorm hohe Energie/Masse mit sich tragen. Deine Aufmerksamkeit wird so stark von seiner Gravitationskraft angezogen, dass es dir schier unmöglich ist, einfach weiterzulesen. Der Brandgeruch hat den Glauben an eine Gefahr getriggert, und diesem Alarm wird sich deine Aufmerksamkeit nicht entziehen können. Sie wird zwangsläufig von diesem Angstgedanken angezogen – so wie ein kleiner Asteroid von einer großen Sonne.

Der Gedanke »Es brennt!« wird für die Aufmerksamkeit der allermeisten erwachsenen Menschen eine hohe Gravitationskraft besitzen. Doch nicht jeder Gedanke hat auf alle Leute denselben Effekt. Es kommt immer auf deine bisherigen Erfahrungen an, ob du einem Gedanken glaubst oder nicht. Wenn du zum Beispiel über einem Restaurant wohnst und immer mal wieder einen verbrannten Geruch wahrnimmst, dann wirst du dich beim Lesen nicht stören lassen, wenn der Verstand »Es brennt« sagt.

> Die Energie eines Gedankens hängt immer davon ab, ob du ihn glaubst oder nicht. Je stärker der Glaube an diesen Gedanken, desto größer ist seine Masse und somit die Anziehungskraft.

Lass uns auf ein anderes Beispiel schauen, um diesen Prozess zu verdeutlichen: Du bist auf der Suche nach einer Liebesbeziehung und hast eine Person getroffen, die du interessant findest. Nach zwei Dates stellst du allerdings fest, dass sie kein größeres Interesse an dir hat. Daraufhin könnte in deinem Bewusstsein ein Gedanke mit folgender Information auftauchen: »Ich bin nicht gut genug.« Die meisten Menschen kennen diesen Gedanken. Fast jeder hat dieses Objekt schon mal dabei beobachtet, wie es durch den inneren Weltraum sauste. Aber dieser Gedanke besitzt bei verschiedenen Menschen – also innerhalb der individuellen Universen – eine unterschiedlich hohe Energiedichte.

Für manche besitzt der Gedanke »Ich bin nicht gut genug« nur wenig Masse, weil sie ein sehr positives Selbstwertgefühl mitbringen. Für sie hat der Gedanke nur die Größe eines Kometen. Er kommt kurz vorbeigeflogen, bleibt nicht lange anwesend und hat durch seine geringe Masse eben auch kaum Anziehungskraft. Die Aufmerksamkeit dieser Menschen löst sich deshalb auch direkt wieder von diesem Objekt und wandert woandershin. Doch im Universum einer anderen Person könnte derselbe Gedanke die Masse einer Sonne oder sogar eines schwarzen Lochs besitzen. Für sie wird es nicht so leicht sein, die Aufmerksamkeit von ihm abzuziehen. Dem Gedanken »Ich bin nicht gut genug« wird dann so stark geglaubt, dass die Aufmerksamkeit in seinem Orbit gefangen bleibt, sodass er das ganze Leben bestimmt. Daraus können wir nun eine Gesetzmäßigkeit ableiten:

> Die Aufmerksamkeit wird sich immer dem Gedanken im Feld zuwenden, der die höchste Masse/Energie – also den stärksten Glauben – mit sich trägt.

Glaube und Handlung

In dem Augenblick, wo du einem Gedanken glaubst, den der Verstand ausgesandt hat, werden in dir Emotionen und Körpergefühle erzeugt. Glaubst du zum Beispiel der Stimme, die empört über den Autofahrer mit dem Mittelfinger spricht, wäre die Emotion Ärger oder sogar Wut. Auf der Körperebene könnte nun dein Blutdruck steigen, der Puls sich beschleunigen, die Schultern und dein Kiefer sich verspannen und so weiter. Bevor du dieser Stimme geglaubt hast, war dein inneres Universum still und friedlich. Doch nun erlebst du eine Achterbahn auf gedanklicher, emotionaler und körperlicher Ebene. Sollte eine Stimme, der du Glauben schenkst, öfter auftauchen, dann wiederholen sich natürlich auch die körperlichen und emotionalen Symptome. Diese ständigen Wiederholungen werden mit der Zeit Folgen haben – insbesondere bei schmerzhaften Glaubenssätzen. Dein System wird es verkraften können, wenn zwischendurch mal ein leidvoller

Gedanke mit einer großen Masse auftaucht. Doch für Körper und Psyche wird es schwer sein, ein Bombardement dieser Stimme auf Dauer auszugleichen. So verfestigen sich dann die Störungen in deiner mentalen Gesundheit, die sich gleichzeitig auf der körperlichen Ebene zeigen.

Neben den individuellen physischen und psychischen Folgen haben wir einen wesentlichen Aspekt der Auswirkungen noch gar nicht angesprochen. Sobald du einen Gedanken glaubst, entsteht daraus automatisch auch eine Handlungsweise – immer! Das ist ebenfalls ein bedeutsames Gesetz im Universum deines Bewusstseins:

> Ein Gedanke, der geglaubt wird,
> erzeugt unmittelbar eine Handlung.

In dem Beispiel mit dem Autofahrer und dem Mittelfinger könnte die Handlung sein, dass du aus Wut eine eigene Gestik dem Fahrer entgegenschleuderst und dass du dabei laut schimpfst. Oder aber du beschleunigst aus Ärger dein Auto und fährst nun mit überhöhter Geschwindigkeit. Es ist auch möglich, dass du deinen Ärger unterdrückst und hinunterschluckst. Das Unterdrücken von Emotionen ist ebenfalls eine Handlung. Vielleicht schreist du auch kurz darauf dein Kind an, das unschuldig fragt, warum du plötzlich so ärgerlich bist. Möglicherweise hast du nach dieser Begegnung zu Hause das Verlangen, eine Flasche Wein zu öffnen oder ein besonders großes Stück Torte zu essen.

Dass der Glaube an einen Gedanken eine Handlung in Gang setzt, ist eine Erkenntnis, die nicht zu unterschätzen ist. Hieraus leitet sich die enorme Verantwortung ab, die jeder und jede Einzelne von uns für den eigenen Bewusstseinsprozess trägt und dadurch für die mentale Gesundheit.

Der Bewusstseinsprozess

Lass uns den beschriebenen Prozess noch einmal zusammenfassen:

1. Deine Aufmerksamkeit reist als Kundschafterin durch dein inneres Universum und scannt die Objekte, die hereinkommen.
2. Das, was sie wahrnimmt, wird vom Verstand kommentiert und beurteilt. Die Kommentare des Verstandes sind nun ebenfalls Objekte im Wahrnehmungsfeld.
3. Die Gedanken, die der Verstand aussendet, haben eine bestimmte Energie/Masse. Je mehr du einem Gedanken glaubst, desto größer ist seine Masse. Je mehr Masse er hat, desto stärker wird wiederum deine Aufmerksamkeit von ihm angezogen.
4. Glaubst du einem Gedanken, ist deine Aufmerksamkeit gefangen in seinem Orbit. Du verschmilzt mit dieser Perspektive und den dazugehörigen Emotionen. Das ist die Ego-Identifikation.
5. Aus dieser Ego-Identifikation entsteht automatisch eine Handlung.

Ego-Identifikation

Wir sprechen von einer Ego-Identifikation, wenn du mit einem bestimmten Blickwinkel deines Verstandes verschmilzt. Dann bist du auf einem Planeten gelandet und wirst zwangsläufig aus dieser Ego-Perspektive heraus handeln. Das Ego entsteht immer aus der Identifikation, die der Verstand erzeugt; das heißt durch die

Gedanken, denen wir glauben. Vom Moment unserer Geburt an werden wir dahin trainiert, uns zu identifizieren. Wenn wir auf die Welt kommen, sind wir noch mit dem ganzen Universum verbunden. Doch mit der Entwicklung unseres Verstandes trennen wir uns aus dieser Einheit und identifizieren uns immer stärker mit unserem Körper, unserem Namen, dem Geschlecht, unserer Familie, einer Religion, der Nationalität und unendlich vielem mehr.

Identität kann etwas Wunderschönes haben. Sie ist wie ein Kostüm, das wir anziehen. Wir können innerhalb einer Identifikation sehr viel Erfüllung und Freude finden, wenn wir uns beispielsweise eingebettet in unsere Familie oder Kultur fühlen. Doch verliert sie ihre Schönheit, wenn wir beginnen, das Spiel der Identifikationen zu ernst zu nehmen. Das passiert in dem Moment, wenn wir glauben, dass unsere Identifikation besser sei als die von anderen. Dann sind wir davon überzeugt, dass unsere Meinung wichtiger sei als eine andere oder eine bestimmte Nationalität oder Religion mehr Wert besäße. Wir halten unsere Ansichten für das einzig Wahre und beginnen zu diskriminieren, was nicht in unser Weltbild passt.

Wir haben in einigen Alltagsbeispielen bereits gesehen, welche Auswirkungen es im privaten Kontext haben kann, wenn wir identifiziert sind. Doch noch drastischer können sich Identifikationen auf einer kollektiven Ebene zeigen. Wenn eine Gruppe von Menschen davon überzeugt ist, dass eine Idee, eine Nation, eine Religion, ein Geschlecht, eine sexuelle Identität besser und wichtiger ist als andere, dann können aus diesen Vorurteilen Hass, Angst und Diskriminierungen entstehen.

Wir werden im Folgenden noch sehen, wie das Übel in der Welt immer aus den Ego-Identifikationen der Menschen heraus entsteht. Sich mit etwas zu identifizieren bedeutet gleichzeitig immer Trennung. Denn die Ego-Identifikation akzeptiert nur eine Sicht. Aus dieser Trennung entsteht dann ein Mangel an Mitgefühl. Wir trennen unser kleines Ego ab: von der Realität einer größeren Verbundenheit.

Bewusstwerdung

Wenn wir von Erweckung, Erwachen, Erleuchtung oder Bewusstwerdung sprechen, dann sind dies alles Bezeichnungen für einen Prozess, an dessen Ende wir erkennen, wer wir wirklich sind. Ein großes Missverständnis, dem die allermeisten Praktizierenden verfallen, ist, dass wir etwas tun müssen, um dahin zu kommen. Denn das Gegenteil ist der Fall: Wir müssen vor allem loslassen, und zwar unsere Ego-Identifikationen. Die Bewusstwerdung passiert, nachdem alles, was uns vorher den Blick verstellt hat, wegfällt. Dann zeigt sich das, was die ganze Zeit schon da ist und was Zen-Meister Bankei »das Ungeborene« nennt.[6] Obwohl das Wissen, wer wir wirklich sind, immer präsent ist, müssen wir einen Prozess durchlaufen, um damit in Kontakt zu kommen. Den Ablauf der Bewusstwerdung können wir grob in drei Stadien unterteilen:

1. Die Ego-Identifikation
2. Der innere Beobachter, die innere Beobachterin
3. Das Absolute

Das erste Stadium, die Ego-Identifikation, ist uns in der Regel sehr geläufig. Denn dies ist der innere Zustand, in dem sich die Menschen meistens befinden. Wenn wir von Ego sprechen, dann passiert manchmal eine Verwirrung. Ego wird nämlich häufig mit Egoismus assoziiert, und dadurch wird geglaubt, dass es dasselbe sei wie Überheblichkeit oder Narzissmus. Das meint aber

Ego in diesem Kontext nicht, oder besser gesagt: nicht nur. Ego ist das Gegenteil von innerer Freiheit. Die Ego-Identifikation ist immer geprägt von schmerzhaften Emotionen wie Angst, Wut, Bedürftigkeit und Gier – oder kurz gesagt: von Leiden. Eine Person ist also nicht nur dann in einer Ego-Identifikation gefangen, wenn sie sich überheblich verhält, sondern auch, wenn sie glaubt, minderwertig, dumm oder hässlich zu sein. In allen Fällen vertraut sie einer bestimmten Perspektive, die der Verstand ihr zuvor erzählt hat. Das ist auch der Grund, warum wir den Verstand mit dem Ego gleichsetzen können. Denn ohne die schmerzhaften Gedanken, die der Verstand ausschüttet, gäbe es keine Identifikation und somit kein Ego (mehr zu den Ego-Identifikationen und inneren Zuständen findest du im Kapitel »Sechste Frage: ›In welchem Raum befinde ich mich?‹«). Das heißt:

Der Verstand kreiert das Ego.

Um dieses schmerzhafte erste Stadium unserer Bewusstseinsentwicklung zu überwinden, benötigen wir eine höhere Instanz, die sich jenseits einer Ego-Identifikation und auch jenseits des Verstandes befindet. Diese Instanz bezeichnen wir, wie eingangs schon beschrieben, als den inneren Beobachter, die innere Beobachterin. Bewegen wir uns zu diesem inneren Ort, dann treten wir in das zweite Stadium der Bewusstwerdung ein. Der Beobachter nimmt einen weiten inneren Panoramablick ein, und dadurch haben wir die Chance, die Ego-Perspektive zu verlassen und von einem erhöhten, weiseren Punkt aus zu schauen. Diese Instanz, diesen Ort in uns zu entdecken ist die große Aufgabe für jede und jeden Praktizierende*n der Meditation. Dieser Beobachter in uns ist die Basis jeder Bewusstseinspraxis. Und die Frage, wie wir dorthin finden, wird uns während des gesamten Buches begleiten …

Der innere Beobachter

Von der Identifikation in die stille,
mitfühlende Wahrnehmung.
Die transformative Superkraft
des Beobachters.

Wir alle besitzen eine Superkraft, von der ein Großteil der Menschheit gar nicht weiß, dass sie eine ist. Denn die meiste Zeit bewegt sie sich unbemerkt unterhalb unseres Radars, ohne wirklich wahrgenommen zu werden. Wenn wir dieser Kraft nur einen Bruchteil der Aufmerksamkeit und Wertschätzung entgegenbrächten, die wir dem Verstand und seinen Gedanken zollen, dann wären sehr viele unserer menschlichen Probleme gelöst. Denn diese Superkraft ist in der Lage, uns den inneren Frieden zu schenken, nach dem wir uns die ganze Zeit sehnen. Sie kann uns von jeder noch so intensiven Emotion, wie Wut oder Angst, befreien und hat die Fähigkeit, die allerstärksten Glaubenssätze außer Kraft zu setzen.

Ich spreche hier von der inneren Instanz, die dir mittlerweile – zumindest theoretisch – schon recht geläufig sein dürfte: vom Beobachter beziehungsweise der Beobachterin.

Der Beobachter ist die liebevolle Präsenz in uns, die alles wahrnimmt.

Er ist eine Instanz und zugleich ein Ort des reinen, gedankenfreien Bewusstseins, von dem aus wir mit Abstand in die Welt blicken. Dieser innere Platz war schon immer da. Es ist das Bewusstsein, das wusste, dass wir existieren, noch bevor der erste Gedanke aufgetaucht war. Durch den Beobachter wissen wir, dass wir sind. Diese Instanz ist frei von jeder Identifikation. Hier sind wir weder Mann noch Frau, haben keinen Namen, keinen Beruf und keine Geschichte. Es ist der Ort, aus dem heraus ein Neugeborenes genauso beobachtet wie eine Person, die demenzkrank ist und sich nicht mehr an den eigenen Namen erinnern kann.

Wir können an drei Qualitäten erkennen, ob wir an dem inneren Ort des Beobachters angekommen sind:

1. Wir befinden uns im Hier und Jetzt.
2. Wir empfinden Mitgefühl.
3. Wir sind innerlich in Stille.

Buddha nannte diesen Ort der reinen Präsenz »die Insel«. Wie wichtig ihm dieser Platz war, zeigt sich in den Überlieferungen seines Todestages. Als Buddha mit achtzig Jahren im Sterben lag, gab er diese letzte Empfehlung an seine Schüler*innen: »Sei dir selbst eine Insel. Sei dir selbst eine Zuflucht.« Für eine Person, die meditiert oder Achtsamkeit praktiziert, geht es letztendlich immer darum, diese innere Zuflucht – den Ort der stillen Präsenz – in sich ausfindig zu machen. Auf dieser Insel verlieren schmerzhafte Gedanken ihre Macht. An dem Platz der reinen Wahrnehmung genießen wir es, einfach wortlos anwesend zu sein, und suchen nicht länger das Glück im Außen. Wir lassen »im Beobachter« alle

Vorstellungen und Ideen los, die wir über uns selbst und die Welt haben. Es ist ein Ort des Friedens und der Freiheit.

Als ich diesen inneren Platz im Kloster Plum Village das erste Mal kennenlernen durfte, war ich vollkommen erstaunt darüber, dass es möglich ist, einfach nur still und aus einer inneren Weite heraus die Dinge zu beobachten, selbst dann, wenn eine starke Emotion anwesend ist. Dieser Platz der reinen Präsenz bleibt der Welt weitestgehend verborgen, weil es hier so lautlos ist. Denn der Beobachter redet nicht die ganze Zeit auf uns ein, wie der Ego-Verstand mit seinen chaotischen, lauten, inneren Stimmen und all den Vorschlägen, was wir unbedingt brauchen oder tun müssen, um glücklich zu werden. Das Ego ist – genau wie der innere Beobachter – ein Teil des Bewusstseins. Beide »Anteile« können wahrnehmen. Doch da ist ein sehr großer Unterschied zwischen diesen beiden Arten der Wahrnehmung.

Um die Differenz zwischen Ego-Verstand und dem Beobachter zu verdeutlichen, blicken wir noch mal in das Weltall unseres Bewusstseins: Wir wissen bereits, dass ein Gedanke, dem wir glauben, eine hohe Gravitationskraft besitzt. Folgen wir mit unserer Aufmerksamkeit diesem Gedanken, hängen wir im Orbit eines Ego-Planeten fest und nehmen so eine bestimmte Perspektive ein. Schauen wir noch mal auf das Beispiel mit dem Autofahrer, der uns den Mittelfinger entgegenstreckt. Glauben wir den urteilenden Gedanken unseres Verstandes, dann landen wir in einem emotionalen Zustand, in dem wir wütend sind, unser Blutdruck ansteigt und wir vielleicht irgendwelche Rachegedanken schmieden. Es ist möglich, dass wir auch noch Stunden später in dieser Perspektive festhängen, uns darüber ärgern, was der Autofahrer gemacht hat, und allen Menschen, die wir treffen, davon berichten. Dies ist die übliche Art und Weise, wie der Ego-Verstand Dinge wahrnimmt, beurteilt und auslebt.

Schauen wir uns nun an, wie wir vom Ort des Beobachters aus wahrnehmen. Der Beobachter folgt erst mal keinem Gedanken und landet dementsprechend auf keinem Planeten. Er nimmt aus einer gewissen Distanz heraus wahr, ohne direkt Urteile aus einem emotionalen Zustand von Ärger, Angst, Bedürftigkeit oder Gier zu treffen. Dementsprechend handeln wir an diesem Ort auch nicht impulsiv. Wir könnten sagen: Der Beobachter ist der Raum um die Planten, Sterne und Galaxien herum. Es ist die stille Weite – der Space –, in der all die Gedanken, Emotionen und Ego-Identifikationen passieren.

Deswegen ist das Bild des Beobachters oder der Beobachterin als »Ort« oder »Insel« nur eine Krücke. Denn diese Energie von reiner Präsenz ist viel mehr als eine feste Position der Wahrnehmung oder eine Perspektive, die wir einnehmen. Sie lässt sich nicht verorten. Der Beobachter ist die Kraft der Bewusstheit, die alles durchdringt und wahrnimmt, was in unserem inneren Weltall passiert. Er ist die stille Energie der Achtsamkeit und Präsenz, aus der heraus wir mit Mitgefühl, Klarheit und Weisheit handeln. Wir könnten auch sagen, dass wahre Rationalität nur in der Präsenz des Beobachters möglich ist.

Als ich einmal im Straßenverkehr sah, wie mir ein Autofahrer wütend seinen Mittelfinger entgegenstreckte, schaute ich auf die Situation aus diesem inneren Abstand heraus. Ich beobachtete das wutverzerrte Gesicht des Fahrers aus der stillen Weite, und anstatt ebenfalls ärgerlich zu werden, bekam ich Mitgefühl mit ihm. Ich sah in seinem Gesicht das Leiden, das er in dem Moment erlebte, und wie gefangen er in seiner emotionalen Identifikation war. Es tat mir leid, dass er nicht in der Lage war, die Situation mit mehr Frieden, Akzeptanz und Gelassenheit zu bewältigen. Er brannte innerlich. Ich wusste aus eigener Erfahrung, wie sich das anfühlt, und auch, was für Auswirkungen so eine starke Emotion auf den Körper hat. Ärger bringt immer Leiden – für andere, aber vor allem für einen selbst.

Bringen wir unsere Aufmerksamkeit in die stille Weite, anstatt auf irgendeinem Planeten des Egos zu landen, können wahre Wunder der Transformation geschehen. Denn der innere Beobachter hat die Kraft, uns aus jeder Identifikation zu befreien und wieder inneren Frieden dorthin zu bringen, wo vorher noch Angst oder Krieg herrschte. Ironischerweise wird diese entscheidende Instanz, die uns überhaupt erst ermöglicht, unbefangen wahrzunehmen, die allermeiste Zeit nicht wahrgenommen. Wir können sie nicht sehen, weil sie so selbstverständlich da ist. Den Beobachter (wieder) zu entdecken und zu erkennen, welche Bedeutsamkeit er für unser Leben hat, ist der erste wichtige Schritt in der Bewusstwerdung jedes Menschen.

Lass mich dir dazu ein Beispiel schildern: Luisa arbeitet als Architektin und leitet einige große Baustellen. Sie ist eine fürsorgliche Bauleiterin. Bei den Besprechungen mit den Handwerkern besorgt sie Brötchen und Kaffee und hat ein offenes Ohr für alle. Luisa übt seit Jahren Achtsamkeit. Vor einiger Zeit gab es einen Konflikt mit einem Handwerker. Der Zimmermann rastete auf der Baustelle aus und schrie Luisa lautstark an. Sie war geschockt von der Attacke. Zwar konnte sie mit ihrer Aufmerksamkeit bei ihrem Atem bleiben und sich so weit regulieren, dass sie nicht zurückbrüllte, aber sie fühlte sich nicht frei, sondern verließ die Baustelle innerlich wie gelähmt. Später im Auto sprach sie mit einem anderen Handwerker über die Situation. Er sagte Luisa, dass sie zu nett sei und mehr wie ein Mann auftreten müsse. Denn dann würden sich die männlichen Kollegen so etwas nicht herausnehmen.

Zu Hause rutschte Luisa zuerst in einen Zustand von Schuld, weil sie ihren Gedanken glaubte, dass sie etwas falsch gemacht hätte. Doch dann änderte sich die Emotion. Sie wurde ärgerlich und wollte in Zukunft andere Saiten auf der Baustelle aufziehen. Sie würde es so machen wie ein männlicher Architekt. Brötchen und Kaffee gäbe es jedenfalls ab jetzt nicht mehr! Als sie ein wenig ruhiger wurde, erinnerte sie sich an die Praxis und wechselte in ihre innere Beobachterin. Aus der inneren Weite konnte sie wahrnehmen, dass der Handwerker mit der Situation überfordert war. Außerdem wurde ihr klar, dass sie nichts falsch gemacht hatte und ihr ein harter, männlich-konfrontativer Umgang überhaupt nicht entsprach. Sie wollte weiterhin eine liebevolle und achtsame Atmosphäre auf ihren Baustellen schaffen.

Aus dieser Klarheit und inneren Weite heraus telefonierte sie am nächsten Tag mit dem Zimmermann. Sie sagte ihm zuerst, dass sie ihn sehr schätze – sowohl menschlich als auch fachlich. Dann wünschte sie sich für die Zukunft einen anderen Umgangston. Sie fragte ihn, ob er bereit wäre, sich auf eine respektvolle Zusammenarbeit einzulassen. Falls nicht, fände sie das sehr schade, könnte aber auch damit leben. Ihr Gegenüber war daraufhin wie ausgewechselt. Er sagte ihr, dass er sie ebenfalls sehr schätze und in Zukunft gern weiter mit ihr zusammenarbeiten wolle.

Der innere Beobachter markiert das zweite Stadium im Prozess der Bewusstwerdung. Dazu verlagern wir unsere Aufmerksamkeit in die Position eines Zeugen. Wir schauen auf uns wie auf eine dritte Person. Du – als der Beobachter oder die Beobachterin – blickst auf dieses Wesen, das hier ist und agiert, und auf das, was es gerade innerlich und äußerlich erlebt. Es ist so, als würdest du mit Interesse ein Kind beobachten, das auf einem Spielplatz spielt. Du schaust ihm dabei zu, wie es glücklich herumhüpft, wie es ärgerlich wird und sich mit einem anderen Kind streitet, wie es sich beleidigt schmollend von den anderen Kindern abwendet oder wie es sich ängstlich nach seinen Eltern umschaut. Aus derselben stillen Präsenz heraus nimmst du dich selbst achtsam und wach wahr: »Ah, interessant, da ist gerade Ärger anwesend. Interessant, ich denke gerade, dass ich nicht gut genug bin. Interessant, ich fühle mich schuldig.« Und so weiter. Auch wenn ich hier gerade Gedanken formuliert habe, ist dieser innere Beobachtungsprozess dennoch ein Akt des stillen Schauens.

Wenn wir in den Beobachter wechseln, sind wir nicht mehr die Hauptperson in dem Film auf dem Bildschirm. Stattdessen werden wir zum Bildschirm, auf dem alles stattfindet. Dieser Hintergrund bleibt immer unveränderlich – egal welche Geschichten darauf abgespielt werden. Der Bildschirm nimmt alles so an, wie es ist. Anstatt also komplett mit der jeweiligen Geschichte und Ego-Identifikation zu verschmelzen, blicken wir aus einer größeren Weite auf sie. Die Identifikation sitzt uns jetzt nicht mehr direkt auf der Nase, sondern wir schieben sie ein wenig zur Seite, um sie besser betrachten zu können. Mit der Distanz, die wir durch unser Sein an diesem Ort des Beobachters aufbauen, sind wir nicht mehr komplett eins mit der jeweiligen Emotion, dem Gedanken oder dem körperlichen Gefühl, sondern wir haben eine Emotion, einen Gedanken, ein körperliches Gefühl. Dieser innere Abstand schenkt uns ein wenig mehr Luft, ein wenig mehr Freiheit, und wir werden dadurch automatisch handlungsfähiger. Während wir in der Ego-Identifikation nur unser Problem sehen oder das, was wir unbedingt haben wollen, bekommen wir plötzlich Optionen. Jetzt haben wir einen weiteren Blick, anstatt in einer engen klaustrophobischen Perspektive gefangen zu sein.

Dieser Prozess der achtsamen Präsenz muss erfahren werden. Deswegen hat Thay immer wieder zu uns gesagt: »Ich kann euch nicht beschreiben, wie eine Banane oder eine Kiwi schmeckt. Ich kann sie euch nur geben, damit ihr sie selbst probiert.« Im Verlaufe dieses Buches wird es für mich darum gehen, dich in die

Erfahrung des inneren Beobachters (zurück) zu führen, damit du probieren kannst, wie die Freiheit hier schmeckt.

Dieser Weg zurück führt in der Regel über die kontinuierliche Praxis der Achtsamkeit. Achtsamkeit nennen wir den Prozess und die Übungen, die uns wieder in den Zustand des Beobachters bringen können. Dieser Prozess ist eine Meditation. Allerdings ist Achtsamkeit – im Vergleich zu einer Sitzmeditation oder einem Gebet – nicht beschränkt auf ein bestimmtes Zeitfenster. Stattdessen übertragen wir die Prinzipien der Sitzmeditation auf unseren gesamten Alltag. Wir begreifen also jeden Moment unseres Lebens als Möglichkeit, um zu praktizieren, und als eine Chance, um aus unseren Ego-Identifikationen auszusteigen. Für genau diesen Prozess ist es hilfreich, wenn wir uns ganz konkrete Fragen stellen – die Fragen, von denen ich eingangs sprach und die den folgenden Hauptteil dieses Buches ausmachen. Dreizehn Fragen werde ich dir vorstellen und dir im Zusammenhang damit diverse Übungen an die Hand geben.

Nutze diese Fragen als Meditation und als Führung auf dem Weg nach innen. Sie alle sollen dir dazu dienen, dich in die innere Beobachterin, den inneren Beobachter und dadurch in die Freiheit zu bringen.

Die Fragen gut nutzen

Wenn du einen emotionalen Leidensdruck erlebst, suche dir intuitiv eine der dreizehn Fragen aus, die dir in dem Moment für dein Problem als sinnvoll erscheint. Es kann auch sein, dass du mit mehreren Fragen hintereinander arbeitest. Hast du entschieden, auf welche Frage du die Aufmerksamkeit lenken willst, bleibe mit ihr anwesend in einem offenen und stillen Gewahrsein. Dies ist der große Unterschied zwischen Meditation und Reflexion. Du willst nicht ausschließlich über die Frage nachdenken. Stattdessen hältst du sie still in deinem Herzen und erlaubst einer Antwort, intuitiv aufzusteigen. Viele Menschen wissen vom Verstand her um ihre Muster und Schwierigkeiten, und dennoch erleben sie keine emotionale Veränderung. Transformation und Weisheit entstehen immer dadurch, dass wir eine innere Erfahrung machen. Es ist so, als ob du Kartoffeln in einen Topf mit Wasser gibst und auf den Herd stellst. Du vertraust darauf, dass die Kartoffeln in dem allmählich kochenden Wasser nach einer gewissen Zeit gar werden. Genauso köchelst du die Frage in deiner stillen Aufmerksamkeit, bis sich eine Antwort zeigt.

Dreizehn Fragen für den Halt in dir selbst

Erste Frage: »Wo ist meine Aufmerksamkeit?«

Die Frage nach deinen Emotionen,
Gedanken und Körpergefühlen.
Finde: Hier und Jetzt.

Wir haben bereits gesehen, wie unsere Aufmerksamkeit von einem Gedanken, der besonders viel Energie hat, angezogen werden kann. Je stärker wir an diesen Gedanken glauben, desto mehr verschmilzt die Aufmerksamkeit mit ihm. Daraus entstehen dann eine Perspektive und eine Ego-Identifikation. Doch diesem Automatismus sind wir nur dann ausgeliefert, wenn er unbewusst abläuft und wir ihn nicht erkennen. Bewusstsein schafft immer Transformation. Werden wir uns darüber bewusst, dass wir in einem Kinosaal sitzen und einen Horrorfilm anschauen, bekommen wir unmittelbar Abstand zu der Geschichte auf der Leinwand. Wenn wir zwischendurch den Blick abwenden und den Raum betrachten, in dem wir uns befinden, dann wird die Story nicht mehr diesen emotionalen Effekt auf uns haben.

Zurück in die Weite

Der innere Beobachter ist die Kraft des Bewusstseins, die diesen Prozess der Erkenntnis in Gang setzt. Er schenkt uns die Distanz, das Mitgefühl und die Klarheit, die wir benötigen, um die Identifikationen aufzulösen. Nur so können wir uns wieder aus dem Orbit der Geschichte befreien. Er bringt Bewusstheit dahin, wo vorher die Aufmerksamkeit unbewusst herumflog. Bekommt die Aufmerksamkeit mit dem Beobachter einen Begleiter an die Hand, kann sie gesteuert werden. War unser Raumschiff vorher hilflos der Gravitation ausgeliefert, zünden wir nun die Triebwerke und steuern es zurück in die Freiheit.

Da deine Aufmerksamkeit so ein entscheidender Faktor dafür ist, in welchem inneren Zustand du dich befindest, ist die erste Frage, mit der du regelmäßig in deinem Alltag praktizieren solltest:

»Wo ist meine Aufmerksamkeit?«

Befindet sich deine Aufmerksamkeit gerade in der Zukunft, der Vergangenheit, oder ruht sie in der Präsenz des Beobachters? Wenn du feststellst, dass deine Aufmerksamkeit die Realität verlassen hat und in einer Fantasie unterwegs ist, kannst du eine Technik anwenden, um sie zurück zum Beobachter zu führen und hier dauerhaft zu halten. Oft nehmen wir zwar wahr, dass wir uns nicht in der Gegenwart aufhalten, dennoch gelingt es uns nicht, die Aufmerksamkeit nachhaltig von den Gedanken über die Zukunft oder Vergangenheit abzuziehen. Es gibt zahlreiche spirituelle, therapeutische oder psychologische Techniken, die dir dabei helfen können, deine Aufmerksamkeit zu lenken. Die jahrtausendealte Praxis der Achtsamkeit hat sich besonders bewährt.

Achtsamkeit als die bereits angesprochene Meditation im Alltag. Den Prozess der Achtsamkeitsmeditation unterteilen wir in vier Schritte:

1. Hier und Jetzt
2. liebevolle Wahrnehmung
3. Akzeptanz und
4. Ausrichtung

Jede der dreizehn Fragen werden wir einem oder mehreren der vier Schritte der Achtsamkeit zuordnen. Die erste Frage »Wo ist deine Aufmerksamkeit?« gehört zum ersten Schritt: Hier und Jetzt.

Der erste Schritt der Achtsamkeit: Hier und Jetzt.

Wie bei jeder Sitzmeditation möchtest du auch bei der Praxis der Achtsamkeit deine Aufmerksamkeit lenken und leiten. Du hast bereits erfahren, dass deine Aufmerksamkeit deine große Kraft ist. Da, wo sie landet, entsteht deine Realität. Willst du deine Aufmerksamkeit leiten, damit sie nicht wie eine Flipperkugel ziellos durch die Gegend springt, dem nächstbesten Gedanken hinterher? Dann bringst du sie immer wieder ins Hier und Jetzt zurück. Das machst du aus zwei Gründen. Erstens ist dies ein heiliger Moment! Er ist der wichtigste Augenblick in deinem Leben – du hast keinen anderen. Es gibt keine Garantie, dass du den nächsten Moment erleben wirst. Daher möchtest du diesen Augenblick wirklich berühren. Wenn du mit der Aufmerksamkeit in der Vergangenheit oder Zukunft unterwegs bist, dann kannst du das Leben nicht wirklich leben, sondern berührst eine Fantasie, die in deinem Kopf stattfindet. Vergangenheit ist Fantasie, weil sie nur noch eine Erinnerung ist, und Zukunft ist Fantasie, weil sie noch nicht stattgefunden hat. Thay hat uns immer wieder daran erinnert, dass wir ein Date mit dem Leben haben. Die Frage ist allerdings, ob wir zu unserem Date hingehen oder es verpassen. Das Date mit dem Leben kann immer nur in diesem Augenblick stattfinden. Die erste Frage »Wo ist meine Aufmerksamkeit?« soll dir helfen, dich an dein Date mit dem Leben zu erinnern.

Es gibt noch einen zweiten Grund, die Aufmerksamkeit in den jetzigen Augenblick zu holen: Nur im Hier und Jetzt ist es möglich zu erkennen, in welcher inneren Verfassung du dich befindest. Du musst anwesend sein, um zu sehen, was gerade in dir vorgeht, und du kannst dich um diesen inneren Zustand auch nur im Hier und Jetzt kümmern. Wenn du zu einer Ärztin gehst und sie mit ihrer Aufmerksamkeit nicht wirklich bei dir ist, sondern mit Gedanken beschäftigt, die nichts mit der Behandlung zu tun haben, dann wird sie dir nur schwer helfen können. Es ist ein Akt der Selbstfürsorge, für dich da zu sein, um eventuell auftauchende schmerzhafte Emotionen und Identifikationen zu erkennen. Um die Aufmerksamkeit in diesem heiligen Moment zu halten, kannst du alle deine Körpersinne nutzen. Denn der Körper ist immer im Hier und Jetzt anwesend. Dazu gleich ein paar praktische Anregungen. Sie alle kannst du unternehmen, sobald du dich gefragt hast: »Wo ist meine Aufmerksamkeit?« Du hast erkannt, wo sie ist, und nun beginnst du, sie zu lenken.

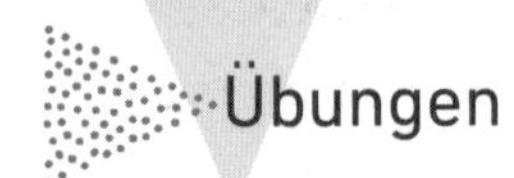

Übungen

1. Atmen und stoppen

Finde immer wieder in deinem Alltag zurück zur Beobachtung des Atems. Du kannst es jetzt machen, während du liest. Folge mit deiner Aufmerksamkeit ganz präzise der gesamten Strecke der Einatmung und der ganzen Strecke der Ausatmung. Es ist letztlich ein Trick. Je mehr Aufmerksamkeit auf dem Atem und im Körper ist, desto weniger ist für irgendwelche wahllosen Gedanken übrig. Du hangelst dich an der Atmung entlang, in deinen Körper hinein und dadurch ins Hier und Jetzt.

Stell dir vor, du sitzt in einem Boot und ziehst dich an einem Seil entlang, das am Ufer befestigt ist. Der Atem ist dieses Seil. Lässt du das Seil los, wird dein Boot abdriften. Darum ist es wichtig, dass du wirklich die ganze Zeit mit der Aufmerksamkeit bei ihm bleibst.

Vielleicht hilft dir auch dieses Bild: Visualisiere, dass du in deinem Alltag mit einem kleinen Kind unterwegs bist. Der Atem ist dieses kleine Kind. Auch wenn du auf dem Wochenmarkt einkaufst und dich mit der Marktfrau unterhältst, bleibt dennoch ein Teil deiner Aufmerksamkeit bei dem Kind. Du verlierst es nicht aus dem Blick. Genauso bleibt ein Teil deines Bewusstseins präsent bei der Atmung und dadurch im Hier und Jetzt. Wenn die Aufmerksamkeit kontinuierlich den Atem beobachtet, wirst du nach und nach den Muskel der Präsenz und die Instanz des inneren Beobachters, der inneren Beobachterin stärken.

Achte darauf, dass du dennoch entspannt bleibst. Nutze zwischendurch die Atmung dazu, um deinen Körper mehr loszulassen. Vertiefe immer mal wieder deine Atemzüge und entspanne dich in die Ausatmung hinein: Nimm fünf bis zehn tiefere Atemzüge, als du gewohnt bist, und lass dann los. Willst du den jetzigen Augenblick wirklich berühren, musst du loslassen, was nicht »Hier und Jetzt« ist. Alle Anspannungen im Körper, die gerade nicht benötigt werden, dürfen abfließen. Entspanne dabei vor allem in den Bereichen von Becken und Bauch, Schultern und Kiefer. Vielleicht fühlt es sich sogar zwischendurch gut an, durch den Mund auszuatmen und dabei zu seufzen oder einen Ton zu machen.

Um ins Hier und Jetzt zu kommen, ist es hilfreich, immer mal wieder während des Tages zu stoppen oder zumindest das Tempo innerlich zu drosseln und dich zu fragen: »Wo ist meine Aufmerksamkeit?« So kannst du immer besser erkennen, was gerade in dir vor sich geht. Unternimmst du eine Reise, dann wirst du natürlich größere Schwierigkeiten haben, Dinge am Wegesrand zu erkennen, wenn du mit 100 Stundenkilometern im Auto unterwegs bist, als wenn du die Strecke läufst.

In Plum Village wurden wir über das Läuten von Glocken daran erinnert, anzuhalten und zurück zu unserem Atem zu kommen. Immer wenn wir eine Glocke hörten, die uns zur Meditation, zur Arbeit oder zum Essen rief, stoppten wir kurz und atmeten bewusst. Wir hörten auf, uns zu bewegen und zu sprechen. Es war eine Minimeditation, bei der wir in dem Moment Spannungen im Körper loslassen konnten und auch alle Gedanken, die uns gerade beschäftigten. Wir wurden für einen Augenblick still und genossen es, gerade mal nichts tun zu müssen und innerlich vollkommen leer zu sein.

Mittlerweile gibt es verschiedene Apps, die du dafür nutzen kannst, um den Klang einer Glocke auf deinem Smartphone zu erzeugen. Auch von Plum Village gibt es so eine kostenlose App, mit der du dich alle fünfzehn Minuten oder jede Stunde daran erinnern kannst, zu stoppen und zu atmen. Du kannst aber auch deine eigene individuelle »Glocke« entwickeln: Atme zum Beispiel, wenn dein Telefon schellt, und warte drei Klingelzeichen, bevor du rangehst; stoppe, wenn du ein Flugzeug vorbeifliegen hörst; an jeder roten Ampel; bevor du eine Tür öffnest; wenn eine E-Mail reinkommt und so weiter. Werde kreativ, um es für deinen Alltag passend zu machen.

2. Das Lauschen

Eine weitere Möglichkeit, um das Hier und Jetzt zu berühren, besteht darin, dass du die Aufmerksamkeit auf das Hören lenkst. Erinnere dich daran, wie es ist, wenn du in einem Kinofilm sitzt: Du beobachtest zum Beispiel, dass jemand auf der Leinwand eine knarzende Treppe hinaufsteigt. Vor der Tür angekommen zieht die Person einen rasselnden Schlüsselbund aus der Tasche, steckt ihn in die Tür, die sich dann mit einem lauten Quietschen öffnet. In so einer Szene nimmst du alle Geräusch präzise wahr. Genauso kannst du auch durch dein Leben gehen und den Fokus auf die Klänge in deiner Umgebung richten.

Lausche – 380 Grad – auf all die Töne um dich herum: Geräusche, Vogelgezwitscher, Stimmen und so weiter. Doch vor allem horche in den Raum zwischen den Geräuschen, zwischen den Tönen und Stimmen. Diese stille Weite, in die du lauschst, ist endlos, zeitlos und jederzeit für dich berührbar. Wenn wir Achtsamkeit praktizieren, möchten wir immer die Realität wahrnehmen. Realität ist:

> Die Stille war zuerst da. Du kommst aus der Stille. Alles ist aus der Stille geboren und fällt in die Stille zurück. Die Geräusche, Töne und Stimmen sind nur

kurze Unterbrechungen der immerwährenden Stille.
Diese Stille ruft dich wortlos:
»Komm nach Hause! Komm nach Hause!«

3. Das Sehen

Du hast auch die Möglichkeit, dich auf das zu fokussieren, was du gerade mit deinen Augen siehst: Buch oder E-Book-Reader, Tisch, Stuhl, Sofa, Hände, Tür und so weiter. Wenn du deine Augen verwendest, um deine Aufmerksamkeit im Hier und Jetzt zu verankern, dann achte darauf, dass du nicht ins Denken und Urteilen verfällst. Das ist die Gefahr hierbei. Und es ist auch der Grund, warum wir bei der Sitzmeditation entweder die Augen schließen oder den Blick unscharf stellen. Denn in der Regel kommentieren wir sehr schnell die Dinge, die wir über die Augen wahrnehmen. Schau stattdessen wie ein Neugeborenes in die Welt, ohne das zu bewerten, was du wahrnimmst. Du beobachtest Objekte, Licht, Schatten, Formen, Farben – ja sogar Schrift – ohne inneren Kommentar. Wenn du so praktizierst, dann kann dies ebenfalls eine sehr wirkungsvolle Methode in deiner Achtsamkeitspraxis sein, um dich im Augenblick zu verankern.

4. Das Schmecken und Riechen

Bei der Essmeditation nutzt du deinen Geschmacks- und Geruchssinn, um dich in den Moment zu holen. Drossle auch hierbei das Tempo innerlich und äußerlich und nimm das Essen erst einmal bewusst wahr. Vielleicht magst du vorab Dankbarkeit dafür entwickeln, dass dieses Geschenk vor dir steht. Es ist entstanden aus der Erde, von Pflanzen und Tieren. (Auch wenn du vegan lebst, wurden die Pflanzen wahrscheinlich von Tieren gedüngt und bestäubt.) Werde dir bewusst, dass da kein Essen wäre ohne die Hilfe der Sonne, des Wassers und der Arbeit vieler Menschen. Kaue es achtsam und halte deine Aufmerksamkeit die ganze Zeit bei der Kaubewegung und bei dem, was du gerade im Mund schmeckst. Wenn du satt bist, kannst du wiederum Dankbarkeit ausdrücken.

5. Das Spüren

Schließlich kannst du deine Aufmerksamkeit noch auf das lenken, was du ertastest und im Körper erspürst. Das tust du – zum Beispiel – beim Yoga, Qi Gong, Tai Chi oder beim Sport sowieso schon. Diese Praxis kannst du aber auf alle Bewegungen übertragen, die du im Alltag ausführst. Spüre das Gewicht des Buches oder E-Book-Readers. Nimm wahr, mit welcher Kraft du eine Tür öffnest oder in deinen Rechner hineintippst. Gartenarbeit, Musizieren, Singen, Tanzen und jede künstlerische oder handwerkliche Tätigkeit eignen sich gut, um dich darauf zu trainieren, die Aufmerksamkeit im Körper zu halten und so im Augenblick zu bleiben. Letztendlich kann jede körperliche Handlung und Bewegung zu einem Akt der Achtsamkeit werden.

Während der ersten sechs Monate in Plum Village war es mein Job, die Toiletten zu reinigen. Ich bekam auch einen Titel zugewiesen. Man nannte mich: Toiletten-Master. Es ist eine interessante Erfahrung, die Klos von etwa fünfzig Männern sauber zu machen und dabei innerlich am Ort des inneren Beobachters zu verweilen. Ich tauchte achtsam meinen Schwamm in den Eimer, während ich das warme Essigwasser an meinen Händen spürte und in der Nase roch. Dann übte ich Druck auf die Kacheln aus, den ich immer wieder verstärken musste, um die festgetrockneten gelben Urinflecken zu entfernen, die der vorherige Toiletten-Master anscheinend übersehen hatte. Während ich meinen Atem beobachtete und den Harngeruch wahrnahm, versuchte ich, einfach bei der Erfahrung zu bleiben, ohne in Bewertungen wie »Das ist ja ekelhaft« oder Beschwerden wie »Wieso ist das so dreckig, und wieso muss ich das jetzt wegmachen?!« zu verfallen. Erst als ich die letzten zwei Jahre meines Aufenthalts im Büro des Klosters saß, E-Mails beantwortete und Telefonanrufe entgegennahm, wurde mir klar, wieso mich meine älteren Brüder am Anfang zum Toiletten-Master gemacht hatten. Es ist am Anfang viel einfacher, Achtsamkeit zu trainieren, wenn du körperlich arbeitest. Zu üben, im Hier und Jetzt zu bleiben, während du denkst, schreibst und sprichst, ist die viel größere Herausforderung. Aus dem Grund hatten wir auf dem Computer im Büro ein Programm installiert, das alle fünfzehn Minuten den Bildschirm einfror, sodass wir nicht weitertippen konnten. Dies gab uns für etwa zwanzig Sekunden Zeit, um zu atmen, zu entspannen und um alle Gedanken loszulassen.

Gehmeditation

Eine weitere, sehr wirkungsvolle Übung, die uns mein Lehrer Thich Nhat Hanh immer wieder aufgefordert hat zu praktizieren, ist die Gehmeditation. Vielleicht magst du diese Praxis im Anschluss an diesen Textabschnitt hier direkt umsetzen und dann ebenfalls – Schritt für Schritt – in deinen Alltag integrieren. Ich übe immer Gehmeditation. Egal, ob ich im Wald spazieren gehe oder vom Tisch aufstehe, um mir eine Flasche Wasser zu holen. Auch bei diesem Training macht es Sinn, das Tempo ein wenig herauszunehmen und dich langsamer fortzubewegen, als du es normalerweise tust und gewohnt bist. Doch mit ein wenig Übung wird es dir leichtfallen, auch etwas schneller achtsam durch die Welt zu gehen.

Um Gehmeditation zu praktizieren, richtest du deine Aufmerksamkeit auf zwei Dinge: erstens auf deine Fußsohlen und zweitens auf deine Atmung. Wenn du einen Schritt machst, dann ist deine Aufmerksamkeit bei dem Kontakt, den deine Fußsohle mit dem Boden hat. Du lenkst deine Energie, die ja meistens im Kopf und beim Denken ist, stattdessen auf die Erde, die du liebevoll berührst. Unser Lehrer hat oft gesagt: »Du küsst die Erde mit deinen Fußsohlen.« So machst du achtsam und langsam einen Schritt nach dem anderen. Wenn du zum Beispiel auf einen Bus, Zug, die Straßen- oder U-Bahn wartest, kannst du in Gehmeditation den Bahnsteig auf und ab gehen. Im Wald oder Park zu üben ist besonders schön. Jeder Schritt ist eine Chance, deine Aufmerksamkeit im Hier und Jetzt zu bündeln. Dabei möchtest du Schritte und Atem synchronisieren. Während du einatmest, kannst du drei Schritte machen, und dann, bei der Ausatmung, machst du ebenfalls drei Schritte. Du könntest aber auch auf zwei Schritte lang einatmen und auf vier Schritten ausatmen – je nachdem, welcher Rhythmus sich für dich am besten anfühlt.

Sitzmeditation

Da alle spirituellen und religiösen Traditionen irgendwann erkannt hatten, welche Macht unsere Aufmerksamkeit hat, haben sie Methoden entwickelt, um diese längerfristig zu fokussieren und zu kanalisieren – sei es in Gebeten, Gesängen, Tänzen, Meditationen, Trancezuständen oder anderen Arten der inneren

Versenkung. Eine Sitzmeditation ist sehr gut dazu geeignet, die Aufmerksamkeit zu trainieren, im Hier und Jetzt zu bleiben. Entscheide dich am Anfang für eine bestimmte Zeit, die du meditieren möchtest, und stell dir eine Uhr. Das können fünfzehn Minuten sein, dreißig oder fünfundvierzig Minuten. In jedem Fall halte dich daran, wenn du einmal die Entscheidung getroffen hast. Wenn du noch nie meditiert hast, kann es sein, dass dein Verstand – erst einmal – Amok läuft. Lass dich dadurch nicht beirren. Vielleicht musst du mit einer fünf- oder zehnminütigen Meditation anfangen und dich dann langsam steigern.

So kannst du vorgehen: Finde eine bequeme und aufrechte Sitzposition. Dein Körper ist entspannt, aber nicht erschlafft. Ob du auf einem Kissen, einer Meditationsbank oder einem Stuhl sitzt, ist nicht so wichtig. Ich verspreche dir, dass du auf einem Kissen nicht schneller erleuchtet wirst. Als Anfänger*in bietet es sich an, erst mal die Atemzüge zu zählen. Während der Einatmung zählst du innerlich »eins«, und während der Ausatmung zählst du ebenfalls »eins«. Bei dem nächsten Einatmen sagst du still »zwei« und dann beim Ausatmen wiederum »zwei«. Das machst du, bis du bei »zehn« angekommen bist. Dann fängst du wieder von vorn bei »eins« an. Sollte deine Aufmerksamkeit unterwegs abwandern, sodass du nicht mehr weißt, bei welcher Zahl du bist, startest du wieder bei »eins«. Falls du übers Ziel hinausschießt und bei »elf, zwölf, dreizehn« landest, startest du ebenfalls wieder bei »eins«. So sitzt und atmest du, bis die Zeit um ist.

Impulskontrolle

Ein Aspekt, den du bei der Sitzmeditation besonders gut trainieren kannst, damit deine Aufmerksamkeit nicht ständig herumspringt, ist die Impulskontrolle. Unsere Aufmerksamkeit hat im Alltag die Tendenz, allen möglichen Impulsen und Gedanken zu folgen. Deswegen kannst du die Meditation auch dazu nutzen, die Drei-Impuls-Regel zu üben, die ich von dem Meditationslehrer Jack Kornfield gelernt habe.[7] Stellst du während des Sitzens – zum Beispiel – fest, dass deine Nase juckt, hebst du nicht sofort deine Hand, um dich zu kratzen. Wenn du das erste Mal deine Nase kratzen möchtest, dann bezeichnen wir dies als den ersten Impuls. Diesem Impuls folgst du nicht. Reagierst du nicht sofort, stellt sich normalerweise eine bestimmte Dramaturgie ein. Denn der Juckreiz wird nun schlimmer. Trotzdem bewegst du dich immer noch nicht, sondern beobachtest still weiter. Das Juckgefühl wird dann in der Regel nach einiger Zeit wieder schwächer.

Irgendwann kommt jedoch der zweite Impuls, der dich zwingen möchte, die Nase zu kratzen. Aber du reagierst immer noch nicht und lässt auch diesen Impuls vergehen. Erst wenn der dritte Impuls auftaucht, hebst du achtsam deine Hand und kratzt deine Nase. Die Drei-Impuls-Regel zu trainieren wird dir auch in deinem Alltag dabei helfen, nicht allem folgen zu müssen, was auftaucht. Stattdessen bleibst du konstant an diesem inneren Ort des Beobachters und bekommst dadurch ein wenig Abstand und Raum, aus dem heraus du entscheiden kannst, ob du reagieren willst oder nicht.

Die Praxis, nicht direkt zu reagieren – sei es auf Emotionen, auf Gedanken oder auf Körpergefühle –, findet sich in fast allen spirituellen und religiösen Traditionen wieder. Wir kennen es zum Beispiel von Mönchen und Nonnen aus der katholischen Kirche, körperliche und emotionale Entbehrungen stoisch zu ertragen. Indische Yogis oder Schamanen aus Naturreligionen sind bekannt dafür, sich in Meditationen und Trancezustände zu versetzen, in denen sie dann keinerlei Schmerzen mehr empfinden. Der

Anthropologe Mircea Eliade beispielsweise beschreibt, wie sich einige dieser Schamanen und yogischen Meister Verletzungen zufügen, durch Feuer gehen oder in Eiswasser baden, ohne die geringste Reaktion zu zeigen.[8] Sehr oft beinhalten Initiationsriten genau solche körperlichen Extreme, die uns westlichen Menschen oftmals archaisch anmuten.

In buddhistischen Klostertraditionen ist es üblich, dass nach der dreijährigen Lehrzeit eine Zeremonie stattfindet, bei der die Novizen und Novizinnen das volle Gelübde ablegen und dadurch zu Bhikshus und zu Bhikshunis – vollordinierte Mönche und Nonnen – werden. Während dieser Zeremonie knien sie vor dem Altar und haben die Handflächen in Gebetshaltung vor der Brust zusammengelegt. In einigen Traditionen wird dieser Ritus auf eine sehr spezielle Weise vollzogen. Am Anfang der Zeremonie werden den Noviz*innen drei kleine kegelförmige Kerzen auf den Kopf gesetzt. Während die Gemeinschaft singend aus den heiligen buddhistischen Schriften rezitiert, brennen die Kerzen langsam herunter. Irgendwann erreichen die Flammen schließlich die Kopfhaut, wo sie sich in den Schädel einbrennen. Doch die Noviz*innen singen weiter in Meditation, ohne eine Regung zu zeigen. Die Kerzen hinterlassen Narben in der Größe eines Fingernagels, die jetzt für immer sichtbar sind.

In Plum Village kamen öfter Nonnen und Mönche aus Vietnam zu Besuch, und einige von ihnen trugen genau solche Narben. Mit einem dieser Mönche hatte ich einen besonders engen Kontakt. Auch wenn er kein Englisch sprach, verstanden wir uns über Gestik und Mimik und lachten viel miteinander. Es war eine der großen Einsichten, die ich während meiner Zeit im Kloster hatte: Obwohl Menschen aus entfernten Kontinenten, Kulturen und sozialen Welten zusammenkamen, konnte man durch die Praxis der Achtsamkeit eine Nähe zueinander entwickeln, als wäre man gemeinsam aufgewachsen. Das Ego will immer die Unterschiede hervorheben. Der innere Beobachter und das Herz erkennen die Gemeinsamkeiten.

Eines Tages bekam ich ein Paket von zu Hause, in dem ein großes Stück Schafskäse war. Schafskäse war etwas, was es in Plum Village praktisch nie gab. (Auch nicht zu der Zeit damals, als das Kloster noch nicht vegan war.) Für mich, mit meinem griechischen Hintergrund, war es eine große Freude, wieder einmal ein Stück Kindheit zu schmecken. Enthusiastisch öffnete ich das Paket und bot dem vietnamesischen Mönch mit den Kopfnarben eine ordentliche Portion zum Probieren an. Er hatte Vietnam noch nie zuvor verlassen und hatte auch Schafskäse noch nie gegessen. Er nahm erwartungsvoll lächelnd ein großes Stück mit seinen Essstäbchen und steckte es sich in den Mund. Ohne auch nur eine Sekunde abzuwarten, spuckte er es im Affekt direkt wieder aus. Sein Gesicht hatte sich vor Ekel verzogen. Ich musste sehr laut lachen, als ich die Mischung aus Abscheu und schlechtem Gewissen in seiner Mimik sah. Es tat ihm offensichtlich leid, dass er sich so wenig unter Kontrolle hatte, und er entschuldigte sich vielmals.

Aus dieser Geschichte können wir etwas lernen: Selbst wenn du in der Lage bist, brennende Kerzen auf deinem Kopf zu akzeptieren, kann es sein, dass ein Stück Schafskäse daherkommt und du die Impulskontrolle völlig verlierst. Der Job ist es, auch diesen Verlust der Kontrolle liebevoll zu akzeptieren.

Gewohnheiten ändern

Eine Übung, um deine Aufmerksamkeit wieder zurück ins Hier und Jetzt zu holen, möchte ich dir noch ans Herz legen. Über diese Praxis bin ich während der ersten Monate meines Klosteraufenthalts gestolpert. Das war noch zu einer Zeit, als ich immer wieder in meine alten depressiven Verstimmungen gerutscht bin, in denen ich mich einsam und ungeliebt fühlte.

Eines Abends saß ich nach dem Abendessen allein im Speiseraum des Klosters. Fast alle Brüder hatten den Saal bereits verlassen. Nur ein einsamer Mönch vom Spüldienst wischte achtsam und still die Tische ab. Ich war schreibend über mein Tagebuch gebeugt und versank dabei immer tiefer in ein Gefühl der Verlassenheit und Isolierung. Die gedämpfte Stimmung im leeren Speisesaal schien meinen Zustand widerzuspiegeln und zu verstärken. Es war die Einsamkeit, die ich schon seit meinen Kindheitstagen mit mir herumschleppte und die auch der Grund war, warum ich – als letzten Ausweg – Zuflucht im Kloster gesucht hatte.

Während ich apathisch in mein Tagebuch schrieb, hatte ich plötzlich einen Impuls. Ich nahm den Stift von meiner rechten in die linke Hand und begann, mit links zu schreiben. Schreiben konnte man es nicht wirklich nennen. Ich krakelte kaum leserlich etwas aufs Papier. Dabei stellte sich innerlich ein Schalter um, und ich fing plötzlich an, in mich hineinzukichern. Meine depressive Verstimmung war von einem Moment auf den anderen komplett verflogen, und ich fühlte mich ganz leicht, beschwingt und glücklich. Der Speisesaal, der mir kurz zuvor noch so einsam und bedrückend erschien, wirkte jetzt ganz friedvoll und freundlich. Ich war über ein Phänomen gestolpert, das mich noch viele Monate in meiner Praxis begleiten sollte. Ich hatte festgestellt:

> Wenn wir körperliche Gewohnheiten verändern, dann verändert sich auch unsere innere Gemütsverfassung.

Von da an begann ich, alle möglichen körperlichen Angewohnheiten zu ändern. Ich steckte zuerst den linken Arm in meine Jacke, anstatt den rechten, und öffnete alle Türen mit der linken Hand. Wenn ich an der Reihe war zu kochen, schnitt ich das Gemüse nun immer mit links. Alle Tagebucheintragungen schrieb ich ebenfalls mit links, bis ich genauso flüssig schrieb wie mit meiner rechten Hand. Sobald ich mich an ein Bewegungsmuster gewöhnt hatte, suchte ich eine neue Herausforderung. Doch an meine Lieblingsübung konnte sich mein Körper nie gewöhnen: Wenn ich im Wald allein unterwegs war, lief ich rückwärts. Das Ändern der körperlichen Gewohnheiten hat mich sehr oft gerettet, wenn ich mal wieder in alte emotionale Muster hineingerutscht war.

Zweite Frage: »Habe ich Mitgefühl?«

Die Frage, um das Ego auf Abstand zu halten.
Finde: Herz.

Wenn ich eine Meditation anleite, sage ich manchmal: »Dies ist der wichtigste Moment in deinem Leben, und du bist die wichtigste Person in deinem Leben.« Immer mal wieder stolpert innerlich jemand über eine der beiden Aussagen. Es gibt Leute, die danach zu mir kommen und mich fragen, ob es wirklich in Ordnung ist, wenn man sich selbst an erste Stelle setzt. Neulich wurde ich nach einer Meditation gefragt: »Aber was ist denn mit ›Liebe deinen Nächsten‹?« Ich antwortete: »Interessant, dass du die Aussage von Jesus nur zur Hälfte zitierst. Der ganze Satz lautet ja: ›Du sollst deinen Nächsten lieben *wie dich selbst.*‹«

Selbstmitgefühl

Etwas, was mich in meiner Arbeit als Achtsamkeitslehrer am meisten berührt, ist der Mangel an Selbstmitgefühl, den die

Menschen mitbringen. Vielleicht berührt es mich so, weil ich selbst viele Jahre auf diese unnachgiebige Kritikerstimme in mir gehört habe. Rückblickend – im Spiegel der anderen – kann ich erst das Ausmaß des Selbsthasses erkennen, den ich hatte, und werde an die Folgen erinnert, die diese Stimme haben kann. Dabei ist es den meisten Menschen gar nicht bewusst, wie mitleidslos sie sich behandeln. Erst wenn ihnen die Frage gestellt wird, ob sie auch mit ihrer besten Freundin oder ihrem besten Freund so reden würden, wachen sie auf und sagen ganz erstaunt: »Nein, natürlich nicht.« »Na ja«, antworte ich dann, »wenn alle anderen es verdient haben, liebevoll behandelt zu werden, dann auch du!«

Besonders schmerzhaft klingt diese erbarmungslose Ego-Stimme aus dem Mund eines Kindes. Ich zucke jedes Mal zusammen, wenn ich an einer Schule vorbeigehe oder in der Straßenbahn bin und ein Kind sagen höre: »Ich Idiot! Ich bin so dumm. Ich bin so scheiße!« Es ist so, als würde ich zusehen, wie sich das Kind in dem Augenblick mit einer Rasierklinge ritzt oder sich mit der Faust ins Gesicht schlägt. Natürlich schauen sich Kinder auch dies von den Großen ab. Wenn sie die Erwachsenen über Jahre dabei beobachten, wie sie ohne Mitgefühl mit sich umgehen, dann werden sie es auf Dauer genauso nachahmen. Darum ist es aus meiner Sicht eine der wichtigsten Aufgaben von Eltern und anderen erwachsenen Bezugspersonen, Selbstmitgefühl zu praktizieren und vorzuleben. Können wir unseren Kindern zeigen, dass wir grundsätzlich liebevoll mit uns umgehen, auch wenn nicht alles im Leben so läuft, wie es sich unser Verstand ausgemalt hat? Nur dann werden sie sich ebenfalls die Erlaubnis geben, sich selbst zu lieben.

Es ist schon schmerzhaft genug, wenn wir kein Mitgefühl mit uns haben. Doch es wird erst recht traumatisch, wenn wir unseren inneren Kritiker direkt auf unsere Kinder loslassen. Dazu ein Beispiel: Ellen wurde als junges Mädchen von ihrer Mutter immer wieder körperlich misshandelt und verbal beschämt. Die Mutter beschimpfte sie bereits sehr früh als »Nutte«. Das steigerte sich ins Extreme, als Ellen tatsächlich anfing, mit Jungs auszugehen. Heute ist Ellen Ende dreißig, geschieden und hat zwei Kinder. Als sie sich neu in einen Mann verliebt, ist sie anfänglich überglücklich. Doch dann wird bei ihr ein HPV-Virus entdeckt, der hauptsächlich beim Sex übertragen wird. Sofort lässt ihr Verstand die Kritikerstimme von der Kette, der sie als Nutte beschimpft und ihr sagt, dass sie nun bestimmt an »Nuttenkrebs« sterben wird. Der innere Kritiker schafft es, Ellen so weit zu verunsichern, dass es ihr von Tag zu Tag schlechter geht. Erst als sie den Zusammenhang herstellen kann zwischen ihrer Erziehung und der Stimme, schafft sie es, mehr Abstand zu ihm zu bekommen.

Mitgefühl mit uns und der Welt

Mit dem Selbstmitgefühl steht und fällt die zukünftige mentale Gesundheit jedes und jeder Einzelnen. Eine Person, die kein Mitgefühl mit sich hat, wird zwangsläufig mental krank, und die Auswirkungen können verheerend sein. Sie können sich dramatisch nach innen auswirken, in Form von psychischen Störungen, Süchten oder anderen Krankheiten. Aber sie können auch fürchterliche Folgen für das Umfeld haben, wenn der Selbsthass eines Menschen umschlägt in Hass und Ablehnung gegen andere oder die ganze Gesellschaft. Das kann sich dann in psychischer oder physischer Gewalt gegenüber anderen äußern – wie bei Ellens Mutter, die es auch nicht anders gelernt hatte – oder, im schlimmsten Fall, zu einem Mord oder einem Amoklauf führen.

Unser Mitgefühl geht verloren, wenn uns eine Stimme in unserem Kopf in eine Ego-Identifikation zieht. Das Ego kennt kein Mitgefühl. Sind wir in einer Ego-Identifikation gefangen, dann bedeutet dies, dass wir abgetrennt sind und die Verbundenheit verloren haben. Dies führt dann dazu, dass wir Tiere in Schlachthöfe zusammenpferchen und Wildtieren die Lebensräume rauben. Wir haben vielleicht noch ein Gefühl der Zusammengehörigkeit mit der Familie und unserem unmittelbaren Umfeld, sind aber nicht in der Lage, unsere Verbindung mit dem Rest der Welt zu erkennen.

Dem Ego sind vier Dinge wichtiger als Mitgefühl:

1. Sicherheit, Kontrolle, Bequemlichkeit
2. Anerkennung, Lob und Bestätigung
3. Immer noch mehr zu erleben und zu konsumieren
4. Dominanz und Macht auszuüben

Wenn du feststellst, dass der Wunsch nach einem der vier genannten Punkte größer ist als dein Mitgefühl, bist du wahrscheinlich in einer Ego-Identifikation gefangen. Dann erlebst du – mindestens – eines der folgenden drei Emotionspakete:

1. Sorgen und Ängste
2. Ärger und Wut
3. Bedürftigkeit und Gier

Das Ego kreiert immer Leiden – für dich selbst und/oder andere. Deswegen arbeiten wir in diesem Kapitel mit der Frage:

> »Habe ich gerade Mitgefühl? Habe ich Mitgefühl für mich selbst, für meine Mit-Menschen, für meine Mit-Tiere und meine Mit-Pflanzen?«

Wenn du feststellst, dass die genannten schmerzhaften Emotionen anwesend sind und du kein Mitgefühl mehr hast, dann solltest du daran arbeiten, so als würdest du dich um eine körperliche Erkrankung kümmern. Diese innere Arbeit ist so essenziell, weil (wie schon angedeutet und wie wir gleich noch genauer sehen werden) fehlendes Mitgefühl sehr weitreichende Folgen haben kann.

Liebe ist Verständnis

Manchmal erlebe ich, dass Menschen Schwierigkeiten damit haben, ihr Mitgefühl zu berühren, und nicht genau wissen, was damit gemeint ist. Mitgefühl stellt sich dann ein, wenn du beginnst, Verständnis für dich oder ein anderes Lebewesen zu entwickeln. Thay hat deswegen Liebe mit Verstehen gleichgesetzt. Solange wir jemanden nicht verstehen, können wir diese Person auch nicht lieben. Wir sind dann, in der Regel, gefangen in unserer beschränkten Perspektive. Meistens fällt es uns schwer, einen liebevollen Blick, Mitgefühl oder Verständnis zu entwickeln, weil wir nur sehr oberflächlich auf eine Situation schauen. Wir urteilen direkt über etwas oder jemanden, ohne uns die Zeit zu nehmen, tiefer hineinzublicken und die Ursachen zu erforschen.

Nehmen wir an, du liest eine Nachricht über eine Person, die ein Verbrechen begangen hat. Eine mögliche Reaktion wäre, dass du diesen Menschen direkt verurteilst und dir härtere Gesetze und Strafen wünschst. Du könntest aber auch tiefer in die Situation hineinschauen und erfährst dann vielleicht, dass die Person drogenabhängig ist und aus einer Ursprungsfamilie kommt, in der die Eltern bereits abhängig waren. Das bedeutet nicht, dass du diese Person aus der Verantwortung für ihre Handlungen entlässt. Aber du blickst jetzt mit einer anderen Energie auf diesen Menschen, und dann kann es sein, dass du dafür eintrittst, ihn zusätzlich mit therapeutischer Hilfe zu unterstützen, anstatt ihn nur bestrafen zu wollen. Durch die Zeit, die du dir genommen hast, tiefer in die Situation zu blicken, konntest du die Realität dieses Menschen erkennen und hast mehr Verständnis entwickelt. Dadurch stellte sich Mitgefühl ein.

In der Achtsamkeitspraxis wollen wir immer versuchen, die Realität zu sehen, anstatt der nächstbesten Vorstellung zu folgen, die unser Verstand uns vorschlägt. Jemanden oder etwas schnell abzuurteilen ist für das Ego bequemer, als die ganze Wahrheit anzuschauen. Doch wenn wir nicht genau hinschauen, stehlen wir uns aus der Verantwortung. Wir sind verantwortlich für unsere Einstellungen und Sichtweisen, denn aus ihnen resultieren Handlungen, die in der Welt große Auswirkungen haben können. Schauen wir genauer hin, bekommen wir zwangsläufig immer mehr Verständnis und damit auch mehr Mitgefühl. Der Wunsch, die andere Sichtweise zu verstehen und die eigene Perspektive zu überprüfen, ist der Schlüssel dazu. Daraus resultiert ein Grundsatz:

> Sind wir in der Lage, die Realität zu erkennen,
> dann haben wir automatisch mehr Mitgefühl.

In einer Achtsamkeitsgruppe erzählte eine Teilnehmerin, dass sie sich über ihren Partner geärgert hatte. Zum wiederholten Male hatte er ihr gesagt, dass sie immer so gestresst wirken würde. Die Teilnehmerin fühlte sich aber gar nicht gestresst, sondern genoss all die Unternehmungen und Aufgaben, die sie machte. Nachdem wir ein wenig tiefer in die Situation hineingeschaut hatten, stellte sie fest, dass ihr Partner ihr vielleicht durch seine ungelenken Bemerkungen etwas mitteilen wollte. Möglicherweise wollte er ihr sagen, dass er sie liebe und dass sie bitte mehr Zeit mit ihm verbringen solle. Als sie aus dieser Perspektive auf dieselbe Situation schaute, änderten sich sofort ihr innerer Zustand und der Blick auf ihren Partner. Sie spürte ihre Liebe für ihn, und es tat ihr leid, dass sie ihn in letzter Zeit vernachlässigt hatte. Obwohl sie immer noch auf exakt dieselbe Situation schaute, hatte sich die Sachlage jetzt komplett gewandelt. Je nachdem, mit welchem tiefen oder oberflächlichen Blick wir auf eine Situation schauen, können wir entweder Ärger empfinden oder Liebe.

Dazu noch ein weiteres Beispiel: Während eines Sommers kam eine Gruppe von Israelis und Palästinensern nach Plum Village. Die Teilnehmer*innen kannten sich vorher nicht. Es war der Versuch, achtsame Friedensgespräche zwischen zwei Parteien zu vermitteln, die völlig unterschiedliche Perspektiven auf die Lage im Mittleren Osten hatten. Die beiden Gruppen wollten unmittelbar mit den Gesprächen starten. Schließlich hatten sie nur zwei Wochen Zeit, und aus ihrer Sicht war die Liste der Themen lang und dringlich. Doch die erfahrenen Mönche und Nonnen – einige von ihnen hatten den Vietnamkrieg miterlebt – bestanden darauf, dass die Gruppen erst einmal Achtsamkeit praktizierten.

So vergingen die ersten Tage damit, dass die Teilnehmer*innen angeleitet wurden, innerlich und äußerlich das Tempo rauszunehmen. Anstatt in Diskussionen einzusteigen, übte die Gruppe aus dem Mittleren Osten Achtsamkeit. Sie praktizierten gemeinsam Gehmeditation in Stille, sie trainierten, zu stoppen und den Atem zu beobachten. Immer wieder wurden sie daran erinnert, ins Hier und Jetzt zurückzukommen und nicht über den entfernten Konflikt zu sprechen. Erst als sie ein wenig mehr Stabilität in der Achtsamkeitspraxis hatten und in der Lage waren – zumindest zeitweise –, im inneren Beobachter präsent zu sein, wurden Gesprächskreise organisiert, damit sie sich mitteilen konnten.

Diese Runden waren für alle eine emotionale Achterbahnfahrt, weil sehr persönliche Erfahrungen mitgeteilt wurden, die beide Seiten während der kriegerischen Auseinandersetzungen der Intifada erlebt hatten. Zuvor hatten die Mönche und Nonnen allerdings die Regeln für diese Gesprächsrunden festgelegt. Alle Teilnehmer*innen wurden aufgefordert, mit einem offenen Herzen für die Person da zu sein, die gerade sprach. Durch die Praxis, die sie bereits an den Tagen zuvor geleistet hatten, waren sie in der Lage, präsent zu bleiben, um den anderen wirklich zuzuhören. Friedensgespräche benötigen immer eine innere Vorarbeit. Wenn der Ego-Verstand die ganze Zeit anwesend ist und wir keinen Abstand zu den Identifikationen bekommen, wie Wut oder Angst, können wir kein Verständnis, keine Klarheit und kein Mitgefühl für die Gesamtsituation und unser Gegenüber entwickeln. Darum erinnerte Thay die Gruppe in seinen Vorträgen immer wieder daran: Wenn wir innerlich keinen Frieden haben, wird auch da draußen kein Frieden passieren.

Dies trifft auf alle Menschen zu, aber insbesondere auf Politiker*innen oder Personen mit gesellschaftlichem und wirtschaftlichem Einfluss. Deren mentaler Zustand kann ganze Kriege auslösen oder Umweltzerstörungen und wirtschaftliche Krisen verursachen. Ein Mangel an Mitgefühl kann sich in Gesetzestexten und Regulierungen niederschlagen, die Millionen von Menschen und Tiere betreffen oder verheerende Folgen für Landstriche, Wälder und Gewässer haben können. Fehlendes Mitgefühl kann sich allerdings auch in Passivität äußern. Wenn unsere Entscheidungsträger und wir als Wahlberechtigte weiterhin tatenlos zusehen, wie die Temperaturen auf unserem Planeten steigen, und Veränderungen aussitzen, werden wir unseren Mangel an Empathie mit einer noch größeren Wucht zu spüren bekommen, als wir es bereits weltweit erleben.

Auch kleine, alltägliche Entscheidungen, die wir treffen, können große Folgen haben. Alles, was wir ohne Mitgefühl konsumieren und einkaufen, hat viel größere Auswirkungen auf die Welt, als wir es in dem Moment, wo wir unsere Geldkarte herausziehen oder den Button »Sofort Kaufen« drücken, vielleicht erkennen können. Mit dem Geld, das wir ausgeben, unterstützen wir die Arbeitsbedingungen von Menschen, die diese Produkte herstellen. Dadurch entscheiden wir mit darüber, wie Tiere behandelt werden und wie viele Pestizide auf unseren Feldern landen. Jeder Einkauf, den wir machen, jede Reise, die wir unternehmen, und jedes Essen, das wir essen, hat Auswirkungen auf die Welt. Das meiste Mikroplastik, das sich in den Ozeanen, in unserer Nahrung und in der Luft befindet, entsteht beim Abrieb von Autoreifen. Fliegen ist die klimaschädlichste Art, sich fortzubewegen, und die Produktion von einem Kilo Rindfleisch verursacht zwischen sieben und achtundzwanzig Kilo Treibhausgasemissionen – Obst oder Gemüse dagegen liegen bei weniger als einem Kilo. Jeder Cent, den wir ausgeben (oder nicht ausgeben), kann ein Akt des Mitgefühls sein und hat vielleicht sogar mehr Einfluss darauf, in welcher Gesellschaft wir leben möchten, als das Kreuz, das wir alle paar Jahre auf dem Stimmzettel hinterlassen.[9]

Weil deine mentale Gesundheit und ein mangelndes Mitgefühl solche Auswirkungen haben können, ist die Frage »Habe ich Mitgefühl?« so entscheidend. Diese Frage ordnen wir dem zweiten Schritt der Achtsamkeit zu.

Der zweite Schritt der Achtsamkeit: liebevolle Wahrnehmung

Oft wird mir die Frage gestellt: »Worin besteht eigentlich der Unterschied zwischen Achtsamkeit und Konzentration?« Die Frage ist berechtigt. Denn sind wir konzentriert, lenken wir die Aufmerksamkeit schließlich auch ins Hier und Jetzt. Wenn du zum Beispiel auf der Autobahn einen Lkw an einer Baustelle überholst, wo der Fahrstreifen verengt wurde, bist du in der Regel sehr anwesend in dem Moment. Ebenso wenn du eine handwerklich oder gedanklich diffizile Aufgabe verrichtest oder dich in einer Prüfungssituation befindest. Um den Unterschied zwischen Achtsamkeit und Konzentration zu verstehen, müssen wir uns den zweiten Schritt der Achtsamkeit genauer anschauen:

> Die liebevolle Wahrnehmung. Dieser zweite Schritt macht die Achtsamkeit erst zur Achtsamkeit!

Denn würde Achtsamkeit ausschließlich bedeuten, sich aufs Hier und Jetzt zu konzentrieren, wäre es auch möglich, achtsam ein Verbrechen zu begehen oder achtsam jemanden zu verletzen. Achtsamkeit ist jedoch mehr als eine reine Konzentrationsübung. Sie ist eine innere Haltung, die als Fundament Mitgefühl mitbringt. Es ist keine Achtsamkeit, wenn wir die einzelnen Meditationstechniken aus diesem Kontext heraus isolieren, um ausschließlich Konzentration zu üben. Der Ursprung der Achtsamkeitsübungen liegt im Buddhismus. Hier spielt Mitgefühl, verkörpert in der Form des erleuchteten Wesens Avalokiteshvara, eine ganz zentrale Rolle. Der weite Raum, aus dem der Beobachter schaut, ist nie tot, gleichgültig oder dumpf, sondern immer angefüllt mit einer liebevollen Präsenz.

In Plum Village fand die intensivste Zeit der Praxis während des Winters statt. In diesen drei Monaten mussten die Mönche im Kloster bleiben und durften nicht herumreisen. Nur dem Shopping-Mönch war erlaubt, während des Winter-Retreats das Klostergelände zu verlassen. Der Überlieferung nach entstammt diese Tradition bereits den Zeiten des Buddhas. Buddha und seine Gemeinschaft wanderten das ganze Jahr über von einem Ort zum nächsten. Doch während der Regenzeit versammelten sie sich immer an einem Platz, wo sie für drei Monate blieben. Der Grund dafür waren die zahlreichen Insekten, die während der Regenzeit in Indien auf den Wegen herumlagen. Die Mönche und Nonnen befürchteten, dass sie während ihrer Wanderschaft viele dieser Insekten zertreten würden.

Vergleichen wir für einen Moment die Haltung der Frauen und Männer von damals mit unserer heutigen Einstellung gegenüber Tieren und speziell mit unserer Einstellung zu Insekten. Die moderne Agrarwirtschaft hat mit Ackergiften wie Glyphosat, Insektenvernichtungsmitteln und der Zerstörung von Lebensräumen an Hecken, Brachflächen und Feuchtwiesen dafür gesorgt, dass wir seit 1998 in Deutschland 76 Prozent der Insektenbiomasse verloren haben.[10]

Vielleicht ist es für manche Menschen schwierig, den Begriff von Mitgefühl auf Insekten anzuwenden. Aber wenn Mitgefühl nicht der richtige Ausdruck ist, können wir diesen Lebewesen dann Respekt oder Dankbarkeit entgegenbringen? Denn ohne Insekten würden auch wir nicht leben. Insekten sind dafür zuständig, die Pflanzen, die uns ernähren, zu bestäuben, sie tragen zum Fruchtertrag und der Vermehrung unserer Nahrung bei. In manchen Regionen Chinas werden die Obstbäume bereits per Hand bestäubt, weil es nicht mehr genug Insekten gibt, die diese Arbeit verrichten.[11]

Können wir Mitgefühl oder Respekt und Dankbarkeit auch für Pflanzen entwickeln? Diese Lebewesen, die wir oft, ohne mit der Wimper zu zucken, herausreißen und abholzen, binden CO_2 und versorgen uns mit Sauerstoff. Das Abholzen von Wäldern ist ein wesentlicher Grund für den Klimawandel. Obwohl wir um diese Zusammenhänge wissen, wurden im Jahr 2020 weltweit wieder 10 Millionen Hektar Wald gerodet, und Deutschland versiegelt jeden Tag 50 Hektar Boden mit neuen Straßen und Häusern.[12]

An dieser Stelle taucht oft die Frage auf: »Bedeutet dies nun, dass ich gar keine Tiere und Pflanzen mehr verletzen und töten darf?« Nein, das bedeutet es nicht. Aber die Frage ist immer, mit welcher inneren Haltung wir es machen. Tun wir es aus Angst, aus Wut und aus Gier? Oder machen wir es respektvoll, dankbar und mit Verständnis, weil wir zum Beispiel ein Tier von seinem Leiden erlösen möchten oder mit uns selbst Mitgefühl haben, weil wir aus gesundheitlichen Gründen nicht auf Fleisch verzichten können.

> Beobachte die Energie, mit der du etwas tust.
> Denn diese Energie bleibt in der Welt. Sie ist dein Vermächtnis an die Welt. Ist es eine Energie von Gewalt, Gier und Furcht, die du nach draußen tragen willst, oder eine von Nächstenliebe, Barmherzigkeit und Mitgefühl?

Kritik an der Achtsamkeit

Mitgefühl war immer schon die Basis der Achtsamkeit. Wenn heute Kritik an der Achtsamkeit geübt wird, dann hat das in der Regel mit einem Missverständnis darüber zu tun, was Achtsamkeit ausmacht. Der erste Kritikpunkt behauptet, dass durch die

Praxis der Achtsamkeit eine Selbstausbeutung stattfinden könnte. Der Vorwurf wird manchmal gemacht, wenn Firmen ihren Mitarbeiter*innen Achtsamkeitskurse bezahlen. Denn das würden sie nur deswegen tun, damit die Angestellten mehr arbeiteten und noch effektivere Leistungen ablieferten. Natürlich kann ich nicht wissen, was die Gründe der Firmen sind und wie jede*r einzelne Achtsamkeitslehrer*in unterrichtet. Doch wenn wir Achtsamkeit so lehren und üben, wie es uns unsere spirituellen Vorfahren beigebracht haben – nämlich mit Mitgefühl –, dann kann keine Selbstausbeutung stattfinden und auch keine Ausbeutung anderer Lebewesen.

Ich habe bereits in Firmen Achtsamkeitskurse angeleitet. In jedem Vorgespräch mit den jeweiligen Verantwortlichen im Personalbereich habe ich gesagt: »Ich weiß nicht, warum Sie die Kurse anbieten wollen. Ich möchte, dass Ihre Mitarbeiter*innen ein glücklicheres Leben führen und mehr inneren Frieden und Freiheit haben. Wenn die Kolleg*innen durch die größere Zufriedenheit – als Nebeneffekt – mehr Leistung erbringen, dann freue ich mich darüber. Doch ich freue mich genauso darüber, wenn sie die Stundenzahl reduzieren oder kündigen, weil sie durch die Achtsamkeit feststellen, dass sie lieber einen anderen Weg gehen möchten.«

Praktizieren wir Mitgefühl, so wie es die Achtsamkeit vorgibt, dann bezieht sich dieses Mitgefühl erst einmal auf uns selbst. Der liebevolle Blick auf uns ist ebenso wichtig wie unser Mitgefühl für andere. Den Unterschied zwischen einer Ichbezogenheit und Selbstmitgefühl können wir in unseren Emotionen erkennen. Sie zeigen uns, wo wir uns gerade befinden. Sind wir auf einem Ego-Trip, dann werden wir nörgeln, kritisch sein oder gierig. Haben wir hingegen Mitgefühl, dann ist sanftes, liebevolles Verständnis anwesend.

Das Wissen um die Wichtigkeit des Mitgefühls findet sich in jeder Kultur. Im Christentum ist es die Nächstenliebe und im Islam die Barmherzigkeit. Sie ist die meisterwähnte göttliche Eigenschaft, und alle Gläubigen werden aufgefordert, es dem Herrn gleichzutun: »Gottes Barmherzigkeit wird nur dem zuteil, der barmherzig ist«.[13] Die großen Religionen und spirituellen Traditionen vereint, dass Nächstenliebe, Barmherzigkeit und Mitgefühl zentrale Botschaften ihres Glaubens sind. In dem Augenblick, wo wir uns selbst oder anderen Menschen und Lebewesen nicht liebevoll begegnen, praktizieren wir keine Nächstenliebe, sind nicht barmherzig und praktizieren auch keine Achtsamkeit mehr.

Der zweite Kritikpunkt an der Achtsamkeit läuft dem ersten konträr entgegen. Es wird behauptet, dass Menschen durch Achtsamkeit einen Ego-Trip fahren würden – also das genaue Gegenteil von der Selbstausbeutung beim ersten Kritikpunkt. Hier wird gesagt, dass sich die Praktizierenden der Selbstreflexion nur noch um sich selbst drehen würden. Dieselbe Argumentationslinie ist mir bereits in den Achtzigerjahren begegnet, als eine immer größere Bevölkerungsgruppe begann, psychotherapeutische Hilfe in Anspruch zu nehmen. Auch diesen Personen wurde damals oft ein Ego-Trip unterstellt.

Ich kann nicht ausschließen, dass dies bei manchen Leuten der Fall war und ist. Es ist nur interessant zu beobachten, was für eine Abwehr sich einstellt, wenn Menschen beginnen, mentale, emotionale oder spirituelle Selbstfürsorge zu betreiben. Bei jeder »materiellen« Selbstfürsorge – zum Beispiel bei der Fürsorge für den Körper in Form einer Vorsorgeuntersuchung oder professionellen Zahnreinigung – trifft man sehr selten einen derartigen Widerstand. Auch wenn es darum geht, sich fürsorglich um das eigene Auto, die Wohnung, das Haus oder die Finanzen zu kümmern, wird man kaum irgendwelche Einwände hören. Eher das

Gegenteil findet statt: Eine mangelnde Fürsorge für die materiellen Dinge kann sogar eine sehr starke gesellschaftliche Verurteilung erzeugen. Dafür gibt es einen wesentlichen Grund ...

Ego-Kapitalismus

Das Ego ist ein Kapitalist. Schauen wir noch einmal auf die vier Prinzipien, denen das Ego folgt, ist das nicht verwunderlich. Es sucht Kontrolle, Anerkennung, Konsum und Dominanz. Diese Zutaten sind der Nährboden des Kapitalismus.

Kontrolle und Sicherheit sucht das Ego vor allem im Materiellen. Es will etwas besitzen, anhäufen, konservieren und die Sinne befriedigen – am liebsten immer mehr, immer schneller und am besten für immer. Darum verteidigt es auch, was vermeintlich ihm gehört, und zieht Mauern um seine Besitztümer. Weil das Ego, als Kapitalist, seine Sicherheit im Hamstern und Festhalten von Dingen sucht, hat es natürlich panische Angst vor dem Kontrollverlust. Deswegen wird es bei jedem Akt des Loslassens oder der Hingabe laut protestieren und sich einmischen. Obwohl wir im Westen in einem solchen Überfluss leben, können Menschen, die an unserem Reichtum teilhaben wollen, beim Ego bereits panische Ängste auslösen. So hat das Ego mit dem Turbo-Kapitalismus eine Gesellschaftsform geschaffen, in der sich ein Teil der Menschen in ständiger Angst befindet, wirtschaftlich abzurutschen, und deswegen strampelt und kämpft, schon allein um die Miete zahlen zu können. Während ein anderer Teil der Gesellschaft von der Gier getrieben ist, immer mehr haben zu müssen.

Nach Anerkennung und Konsum zu suchen ist ein weiteres Markenzeichen des Egos. Dadurch erlebt es für einen Moment Befriedigung, was sich dann auch – vermeintlich – nach Frieden anfühlt und nach einem Zustand des Angekommenseins. Doch wir wissen alle, dass das Gefühl nicht nachhaltig ist und nur für eine kurze Zeitspanne anhält. Dann können wir beobachten, wie schnell sich die Ego-Identifikation wieder auf die Suche nach dem nächsten Input macht – dem nächsten Besitz, der nächsten Anerkennung, dem nächsten Genuss. Weil das Ego so überzeugt davon ist, dass es all diese Dinge unbedingt braucht, schreckt es auch nicht davor zurück, sich selbst, andere Menschen, Tiere und die Umwelt schonungslos auszubeuten. Es denkt ja schließlich, dass es dabei um sein Überleben geht. Und das stimmt auch. Würde das Ego aufhören, ausbeuterisch und kapitalistisch zu handeln, würde es langsam sterben.

Ich und das Ego

Manchmal wird die Frage gestellt, ob wir nicht auch Mitgefühl mit dem Ego haben müssten. Die Antwort ist: Nein! Die Ego-Identifikationen sind Vorstellungen des Verstandes – also nicht real. Wir müssen keine Empathie mit Fantasien haben, sondern mit der Person, die diese Vorstellungen glaubt und sich deswegen vom Verstand das Leben diktieren lässt. Um die Trennung vom Ego-Verstand zu vollziehen, müssen wir verstehen, dass wir nicht eins mit ihm sind. Denn das ist der Grund, weswegen wir alles glauben, was er uns erzählt, und meinen, dass es keine andere Möglichkeit gibt, als seinen vier Kapitalismus-Prinzipien zu folgen.

Die meisten Menschen sind davon überzeugt, dass das »Ich« und der Ego-Verstand ein und dasselbe sind. Solange diese innere Verknüpfung noch stattfindet und wir keine Distanz zu den Ego-Identifikationen bekommen, wird es keine nachhaltige Veränderung auf diesem Globus geben. Wir werden vor wirklichen politischen Einschnitten und Veränderungen zurückschrecken und weiterhin nur an Symptomen herumdoktern. An der grundlegenden Ego-Haltung gegenüber uns selbst, Menschenrechten, dem Tierwohl und Naturschutz ändert sich allerdings nur wenig. Die Ängste und die Gier der Ego-Identifikationen verhindern die faire Besteuerung von großen Unternehmen und Superreichen, die Umgestaltung der Energie- und Agrarwirtschaft oder auch einen mitfühlenderen Blick auf die weltweite Situation von Flüchtlingen. Eine wahre Bewusstseinserweiterung muss von innen heraus geschehen.

Bringen wir uns innerlich an den Ort des Beobachters, löst sich die Symbiose mit dem Ego auf. Wir bekommen dadurch Abstand zu seinem Wunsch nach Kontrolle, Anerkennung, Konsum und Dominanz. Die stille, liebevolle Wahrnehmung von uns selbst und anderen ist ein wesentlicher Schritt, um einen distanzierteren und klareren Blick auf die Welt zu bekommen. Der Verstand wird uns sagen, dass wir ihn für einen klaren Blick unbedingt brauchen. Er sei schließlich das Licht der Vernunft. Doch das Ego täuscht Rationalität und Vernunft nur vor. Der stille Blick mit dem Herzen ist die wahre Rationalität. Wäre der Ego-Verstand so vernunftgesteuert, wie er vorgibt zu sein, wäre diese Erde, mit ihrer Schönheit und Vielfalt, nicht so ausgebeutet. Jahrhunderte von Gier, Zerstörung und Krieg haben uns an einen Wendepunkt geführt. Wir müssen uns kollektiv vom Ego trennen. Du bist nicht dein Verstand und nicht, was er dir erzählt. Die liebevolle Wahrnehmung und dein stilles Mitgefühl sind die allerbesten Mittel, um die Scheidung einzuleiten und das Ego dauerhaft auf Abstand zu halten.

Kooperation statt Kapitalismus

Die kanadische Forscherin Suzanne Simard, die die unterirdischen Netzwerke der Bäume entdeckt hat und dabei erkannte, wie sich die Pflanzen gegenseitig unterstützen, sagt, dass wir Charles Darwins Theorie überdenken müssen. Darwins »Recht des Stärkeren« war drei Jahrhunderte lang der Grundsatz, an dem sich die Menschheit orientierte. Diese Theorie kam dem patriarchalen Kapitalismus sehr entgegen. Die körperliche Überlegenheit des Mannes wurde so zu seinem natürlichen Recht, Frauen dominieren zu dürfen. Und in wirtschaftlicher Hinsicht setzte sich die Vorstellung durch, dass diejenigen, die sozial benachteiligt sind, selbst schuld seien, weil sie einfach nicht die Stärke mitbrächten, die es zu einem guten Überleben braucht. Das »Recht des Stärkeren« wurde somit als Begründung herangezogen, warum wir nicht mitfühlend sein müssen. Denn dies »sei ja schließlich von der Natur so gewollt«.

Doch das ist längst überholt. Der Forscher für evolutionäre Anthropologie, Michael Tomasello, beispielsweise hat Experimente mit Kleinkindern im Alter zwischen vierzehn und sechzehn Monaten durchgeführt.[14] In den Versuchsaufbauten stellten sich Erwachsene absichtlich sehr tollpatschig an, während sie Dinge erledigten. Daraufhin machten die Kleinkinder alles Mögliche, um die Erwachsenen zu unterstützen. Sie krabbelten los, um Türen zu öffnen, oder deuteten auf vermisste Gegenstände. Tomasello konnte damit beweisen, dass Kinder von Natur aus altruistisch seien. Seine Erkenntnis nach den Versuchen war: Mitgefühl und Kooperation sind angeboren. Seit in den vergangenen Jahren Forscher*innen wie Suzanne Simard und Michael Tomasello solche Entdeckungen gemacht haben, wissen wir, dass es viel mehr Kooperation in der Natur gibt, als wir bisher angenommen hatten. Tomasello geht sogar davon aus, dass die Menschheit nur durch Kooperation so erfolgreich werden konnte.

> Neben Darwins »Überlebensrecht des Stärkeren«
> taucht jetzt ein neuer Grundsatz auf:
> »Die Stärke des Mitgefühls«.

Übung

Liebevolle Wahrnehmung

Erinnere dich: Beim ersten Schritt der Achtsamkeit bringst du deine Aufmerksamkeit während deines Alltags immer wieder ins Hier und Jetzt. Das machst du, indem du stoppst oder das Tempo innerlich herausnimmst und die Aufmerksamkeit in deinen Körper lenkst. Die Beobachtung deines Atems und alle Sinnesorgane stehen dir zur Verfügung, um dich im jetzigen Moment zu verankern: Lauschen, Sehen, Spüren, Tasten, Riechen, Schmecken.

Dann rutschst du innerlich zur Seite und schaust freundlich auf dieses Wesen, das du bist, als würdest du ein Kind mit Interesse betrachten. Das ist der zweite Schritt der Achtsamkeit – die liebevolle Wahrnehmung. Übe es, dich immer wieder mit diesen mitfühlenden Augen anzuschauen. Verliere dich nicht in den Ego-Identifikationen, sondern halte ein wenig Abstand zu ihnen. Sobald du aufhörst, liebevoll zu schauen, praktizierst du keine Achtsamkeit mehr.

Achte darauf, dass dein liebevoller Blick gleichzeitig still ist. Du verfällst nicht in Beurteilungen und brauchst Mitgefühl auch nicht durch Sprache oder Gedanken zu erzeugen. Manchmal kann es hilfreich sein, Worte nach innen zu sprechen, aber das werden wir in einem späteren Kapitel behandeln, bei der neunten Frage: »Woher kenne ich das?«

Mitgefühl

Nutze die Frage »Habe ich gerade Mitgefühl?«, um dich in den Zustand der liebevollen Wahrnehmung und damit auch in den Beobachter, die Beobachterin zu versetzen. Dabei geht es erst mal nicht darum, speziell für irgendjemanden oder irgendetwas Mitgefühl zu erzeugen, sondern die Energie fürsorglicher Wärme in dir zu erschaffen und mit diesem inneren Licht durch deinen Alltag zu gehen. Bring dafür mehr Aufmerksamkeit in dein Herz. Vielleicht unterstützt es dich, in den Herzraum zu atmen oder deine Hand auf die Brust zu legen. Hilft es dir, zuerst an einen bestimmten Menschen, an ein Tier oder vielleicht sogar an einen Baum zu denken, dann nutze das. Wenn du die Energie der Liebe in dir spüren kannst, lass die Vorstellung aber wieder los und bleibe einfach nur mit dem reinen Mitgefühl, solange es dir möglich ist.

Metta-Meditation

In den letzten Jahren haben immer mehr Hirnforscher*innen untersucht, ob Meditation unsere Gehirne verändern kann. Es gibt eine alte buddhistische Sitzmeditation, von der Nonnen und Mönche sagen, dass sie das Mitgefühl ganz gezielt trainiert. Sie heißt Metta-Meditation, wobei *metta* ungefähr so viel bedeutet wie »liebevolle Güte«. Die Forschung hat nun bestätigt: Wenn die Metta-Meditation regelmäßig geübt wird, vergrößern sich die

Areale im Gehirn, die mit der Fähigkeit assoziiert werden, Empathie zu empfinden. Dies beweist, dass wir Mitgefühl tatsächlich trainieren können.[15]

Wenn du Metta üben willst, beginnst du wieder damit, eine bequeme Sitzposition zu finden und deiner Atmung zu folgen. Dann erzeugst du wie bereits beschrieben eine liebevolle Haltung in deinem Herzen. Bei der Metta-Meditation gibt es drei Phasen. Wenn du die Energie von Mitgefühl oder liebevoller Güte spürst, richtest du sie – in der ersten Phase – zuerst nach innen auf dich. Du kannst dir vorstellen, wie du auf dieses Wesen, das hier meditiert, mitfühlend schaust, als wäre es eine andere Person. Vielleicht visualisierst du, wie du dich selbst in den Arm nimmst. Bleibe einige Minuten dabei und bade in dem Mitgefühl für dich.

Dann wendest du dich – in der zweiten Phase – nach außen. Stell dir eine Person vor, die du liebst, und richte deine Herzenergie für einige Zeit auf sie. Du kannst auch deine Kernfamilie visualisieren, wenn es dir schwerfällt, nur eine Person auszusuchen. Lass von deinem Herzen ein warmes Licht auf sie leuchten und bade sie in deiner Liebe, Wertschätzung und Dankbarkeit.

In der dritten Phase gibt es drei Möglichkeiten:

1. Du erweiterst den Kreis und beziehst immer mehr Menschen, Tiere oder auch Pflanzen in dein Mitgefühl ein. Vielleicht beginnst du mit den Lebewesen in deiner Nachbarschaft, bei deiner Arbeit, in deiner Stadt und so weiter. Das kann so weit gehen, dass du irgendwann auf die Erde als Globus schaust und alles Leben innerlich umarmst.
2. Die zweite Möglichkeit ist, dass du gezielt auf einen oder mehrere Menschen schaust, von denen du glaubst, dass sie leiden. Auch hier können es Tiere oder Pflanzen sein, die du visualisierst und denen du deine Herzenergie sendest.

3. Bei der dritten Möglichkeit wählst du eine Person aus, über die du dich geärgert hast und der du nun, so gut es geht, dein Mitgefühl schickst.

Traditionell wird die Metta-Meditation mit Worten praktiziert. Du suchst dir drei oder vier Affirmationen aus und wiederholst sie dann, wie ein Mantra, für ein paar Minuten. Zum Beispiel: »Möge ich still, friedlich und voller Mitgefühl sein.« Danach visualisierst du eine Person und sagst das Gleiche, bezogen auf sie. Wenn dich solche Affirmationen unterstützen, dann kannst du gern so üben. Es kann aber sein, dass die stille Energie der Liebe für dich eine größere Kraft hat, als wenn sie in Worte gefasst wird. Wichtig ist nur, dass du die Liebe und das Mitgefühl in dir fühlst.

Alternativen zu Mitgefühl

Falls du Schwierigkeiten mit dem Ausdruck »Mitgefühl« hast, dann verändere ihn und benutze einen anderen Begriff. Ziel ist es, die Energie in deinem Herzen zu aktivieren, sodass sie sich vergrößert. Dies geschieht durch Training. Mit welchem Begriff du dahin kommst, ist letztendlich egal. Die Wissenschaft hat bewiesen, dass unsere Anlage zur Empathie gesteigert werden kann. Nur mit dieser Fähigkeit werden nachhaltige Veränderungen auf unserem Planeten passieren, und jede Person, die in das Herz investiert, leistet einen Beitrag dazu.

Hier sind die vier Alternativen:

Dankbarkeit

Wenn du ein Gefühl von Dankbarkeit erzeugst, aktivierst du ebenfalls deine Herzenergie. Mir ist klar, dass Mitgefühl und

Dankbarkeit unterschiedliche Emotionen sind (so wie die Alternativen, die noch folgen werden). Es geht jedoch immer nur darum, die Kraft von Liebe in dir zu erzeugen und dieses Energielevel so lange wie möglich oben zu halten. Dadurch stellt sich der Trainingseffekt ein und auf Dauer eine innere Transformation. Wenn also Dankbarkeit dich eher in die Herzenergie bringt als Mitgefühl, dann nutze diese Emotion. Vielleicht musst du jemanden oder irgendetwas visualisieren, um Dankbarkeit zu fühlen – vielleicht reicht es dir auch, ohne konkreten Anlass dankbar zu sein.

Respekt

Ein Schreiner, der sich viel Zeit nahm, sehr präzise einen Tisch aus Massivholz zu zimmern, wurde von einem ungeduldigen Beobachter gefragt, warum er denn so unglaublich penibel arbeiten würde. Die Antwort des Schreiners war: »Der Baum, dessen Holz ich verwende, war etwa hundert Jahre alt. Er hat es uns nicht freiwillig geschenkt. Das Mindeste, was ich als Gegenleistung erbringen kann, ist Respekt. Es wäre ihm gegenüber nicht respektvoll, wenn ich den Tisch unachtsam zusammenhämmern würde.«

Respekt zu haben vor anderen Lebewesen hält deine Herzenergie ebenfalls aktiv. Lass uns diesen Schreiner als Vorbild nehmen für unseren Umgang miteinander und mit der Natur, dann werden wir in einer veränderten Welt leben.

Verständnis

Wenn du mit der Intention durch dein Leben gehst, Verständnis für andere zu entwickeln, dann wird die Energie, die du in die Welt gibst, ebenfalls positive Auswirkungen haben. Dafür musst du bereit sein, deine Perspektive zu hinterfragen (mehr dazu bei der zwölften Frage: »Bin ich sicher?«). Jedes Lebewesen hat immer Gründe dafür, warum es die Dinge tut, die es tut. Du musst diese Gründe nicht unterstützen oder gut finden, aber du kannst verstehen, warum sich jemand auf diese oder jene Weise verhält. Dieses Verständnis wird dir helfen, dein Herz ein wenig mehr zu öffnen. Erinnere dich an die Aussage von Thich Nhat Hanh: Wenn wir jemanden nicht verstehen, dann können wir sie oder ihn auch nicht lieben.

Verantwortung

Wir sind immer verantwortlich – sowohl für unser Tun als auch für unser Nichttun. Wir können dies verleugnen und die Augen davor verschließen, oder wir stellen uns dem und übernehmen Verantwortung für unsere Handlungen. Ich weiß zum Beispiel, dass mein Konsumverhalten einen Effekt auf andere Menschen, Tiere, Pflanzen und das Klima hat. Verantwortlich zu handeln bedeutet, bewusst und achtsam durch das Leben zu gehen und sich die Frage zu stellen: »Hat diese Handlung oder dieses Wort negative Auswirkungen auf andere Lebewesen, und bin ich bereit, dafür die Verantwortung zu übernehmen?« Es geht nicht darum, asketisch zu leben, sondern ein Bewusstsein dafür zu entwickeln, welche Folgen das eigene Verhalten für uns selbst oder andere haben kann. Dadurch werden wir automatisch mehr Mitgefühl entwickeln.

Noch eine winzige Übung

Manchmal sind es die vermeintlich kleinen Dinge, bei denen wir unser Mitgefühl besonders gut trainieren können. Schauen wir noch mal auf ein Insekt: Nehmen wir an, dass du nachts aufwachst, weil eine Mücke in deinem Zimmer summt. Wie reagierst du? Stehst du auf und machst dich mit einer Zeitung auf die Jagd? Oder nimmst du dir einen Moment Zeit, um in den Beobachter zu wechseln und Verständnis für die Perspektive dieses Geschöpfs zu entwickeln, das für seine Lebensaufgabe etwa zwei Wochen Zeit hat?

Wenn du mehr Verständnis für die Mücke hättest, dann würdest du sie vielleicht mit einem Glas einfangen, das du achtsam über das Tier stülpst. Danach könntest du ein Stück Papier oder Pappe zwischen Glas und Wand schieben und würdest die Mücke so nach draußen tragen. Vielleicht hast du sogar einen besonders mitfühlenden Tag, und dein Verständnis ist ausgesprochen groß. Dann würdest du der Mücke möglicherweise ein wenig von deinem Blut überlassen und könntest gleichzeitig deine Impulskontrolle üben, während sie sich an deinem Körper festsaugt.

Dritte und vierte Frage: »Was ist im Hier und Jetzt nicht in Ordnung?« »Was ist meine größte Angst?«

Fragen, um Ängste und
Fantasien loszulassen.
Finde: Gleichmut.

In Plum Village gab es keinen Fernseher, keine Zeitungen, keine Handys, und der Zugang zum Internet war nur an einem Rechner im Büro möglich, zu dem lediglich einige wenige Personen Zutritt hatten. In einem Sommer verbreitete sich dennoch wie ein Lauffeuer die Nachricht, dass – draußen in der Welt – die Fußballweltmeisterschaft stattfand. Einige besonders fußballbegeisterte Mönche wollten unbedingt das Endspiel anschauen. Also gingen sie zu Thay, um ihn um seine Erlaubnis zu bitten.

Fußball und Gleichmut

In einem Kloster werden Gehorsam und Demut nicht nur aus pragmatischen Gründen praktiziert, um die tagtäglichen Abläufe – wer was zu tun hat – reibungslos zu regeln. Es sind Übungen, um das Ego in Schach zu halten. Wer in einer der vier Ego-Vorstellungen feststeckt und erstens nach immer neuen Sinneserfahrungen sucht und konsumieren will, zweitens viel Anerkennung haben möchte, drittens dominieren oder viertens kontrollieren will, stößt in einer klösterlichen Umgebung sehr schnell an die Grenzen. Demut, Gehorsam und Bescheidenheit zu üben sind Instrumente, um die Kanten des Egos langsam abzuschleifen.

Damit ist jedoch keine blinde Demut gemeint, sondern eine bewusste Entscheidung, für die jede und jeder Verantwortung übernimmt. Denn schließlich wird niemand gezwungen, dort zu bleiben. Der Gehorsam in einem Kloster ist vergleichbar mit einem Sport- oder Yogatraining. Wir haben vielleicht keine Lust, diese Bauchmuskelübung zu machen, die die Trainerin anleitet, und entscheiden uns trotzdem dafür, weil wir um den Nutzen der Übung wissen.

Besonders für uns Praktizierende aus dem Westen war es anfänglich gewöhnungsbedürftig, für alles einen älteren Bruder oder die Gemeinschaft um Erlaubnis zu bitten: »Ist es in Ordnung, wenn ich heute in die Stadt fahre, um etwas zu besorgen?« »Ich möchte fasten, ist es okay, wenn ich nicht an den Mahlzeiten teilnehme?« »Darf ich für zwei Wochen zu meiner Familie nach Hause fahren?« »Darf ich das Zimmer wechseln? Bei uns schnarcht jemand.«

Nachdem Thay seine Einwilligung für das Fußball-WM-Endspiel gegeben hatte, konnten die Vorbereitungen für das Kloster-Viewing beginnen. Die Nonnen aus den beiden benachbarten

Klöstern wurden eingeladen, und wir richteten die große Meditationshalle her. Am Tag des Endspiels saßen dann etwa einhundert Fußballfans vor einer riesigen Leinwand. Es war eine gemischte Truppe. Wir befanden uns in einer internationalen Gemeinschaft, und die Praktizierenden kamen aus fünf verschiedenen Kontinenten. Von Vietnam über Südafrika, Neuseeland und den USA bis hin zu einer bunten Melange verschiedener europäischer Staaten.

Die Mönche aus dem Technikteam hatten einen Beamer und Lautsprecher installiert, um eine perfekte Übertragung zu gewährleisten. Natürlich hatte niemand eine Fahne oder einen Fanschal dabei, und dennoch war die Atmosphäre ungewöhnlich aufgekratzt für dieses sonst so stille Achtsamkeitszentrum. Am Anfang war der Ton der Fernsehübertragung noch stumm geschaltet, aber wir konnten auf der Leinwand bereits sehen, wie sich die beiden Mannschaften für die Nationalhymnen aufstellten. Die Aufregung in der Meditationshalle wurde langsam größer, als plötzlich die Tür aufging und Thay mit seinen beiden Assistenten hereinkam.

Wir standen alle sofort auf und verneigten uns. Es war üblich, dem Zen-Meister unseren Respekt zu zollen. Niemand hatte damit gerechnet, dass er kommen würde, und die Stimmung veränderte sich schlagartig. Alle wurden ruhiger, präsenter und schienen jetzt auch wieder bewusster ihrer Atmung zu folgen. Wir waren erstaunt und konnten uns nicht vorstellen, dass er das Spiel mit uns anschauen würde. Wie immer ging unser Lehrer in einer sehr langsamen Gehmeditation durch die Halle, während wir ihn mit den Augen verfolgten. Schließlich blieb er vor der Leinwand stehen und sah hoch zu den aufgereihten Spielern, die stumm die Lippen zur Nationalhymne bewegten. Dann drehte er sich zu uns, lächelte in die Runde und fragte: »Can you watch the game with a nondiscriminative mind?« Was ungefähr so viel bedeutet wie: »Kannst

du das Spiel so schauen, dass du weder für noch gegen eine Mannschaft bist?« Der Satz verfehlte seine Wirkung nicht, und wir blickten uns gegenseitig fragend an. Als Thay den Saal wieder verließ, blieben wir etwas verunsichert darüber zurück, was wir nun machen sollten. Dann versuchten wir das Fußballspiel mit einer weitestgehend gleichmütigen Haltung anzuschauen.

Der Ego-Verstand ist es nicht gewohnt, so unaufgeregt durchs Leben zu gehen. Gleichmut und Akzeptanz stehen den vier Ego-Prinzipien konträr entgegen. Eine Person, die gleichmütig ist und akzeptiert, lässt die Kontrolle los und möchte nicht dominieren. Sie ist nicht aufgebracht, wenn sie keine Anerkennung bekommt, und nicht enttäuscht, wenn irgendetwas nicht nach ihrer Vorstellung läuft oder sie keinen neuen Input zur Befriedigung der Sinne bekommt. Die Ego-Identifikation kämpft ständig erregt darum, etwas unbedingt haben zu müssen – zum Beispiel den Sieg der Fußballmannschaft, die es gerade unterstützt. Doch wenn wir dem Verstand folgen und beginnen zu kämpfen, verlieren wir unsere Balance. Wir befinden uns im Krieg. Wenn *wir* das Spiel gewinnen, ist die Euphorie groß, wenn *wir* es verlieren, die Frustration. So wird das Leben in einem ständigen Kreislauf aus Befriedigung und Leiden gelebt. Es ist diese Dynamik von »Habenwollen« und »Nichthabenwollen«, die sich in allen Facetten des Alltags zeigt und unser gesamtes Dasein bestimmt. Dadurch kommen wir auch nie wirklich an. Denn wenn wir endlich haben, was der Verstand sich wünscht, fangen wir entweder an zu kämpfen, um es auch ja zu behalten, oder benötigen etwas anderes, weil das Ego einen neuen, frischen Erregungszustand haben will.

Innerer Frieden lässt sich nur erreichen, indem wir das Hier und Jetzt gleichmütig akzeptieren. Darum besteht in einem Training der Achtsamkeit eine wesentliche Aufgabe darin, den Schüler*innen Akzeptanz und Gleichmut zu vermitteln. Thay hatte in dem Fußballspiel die Chance gesehen, durch eine simple Frage unserem inneren Training ein wenig mehr Schwung zu verleihen.

Der dritte Schritt der Achtsamkeit: Akzeptieren und Loslassen

Wir haben bereits die ersten beiden Schritte der Achtsamkeit kennengelernt: Erstens verankern wir unsere Aufmerksamkeit im Hier und Jetzt und beobachten zweitens uns und die Welt aus einer liebevollen Haltung heraus, mit Mitgefühl und ohne Beurteilungen. Der dritte Schritt der Achtsamkeit ist Akzeptieren und Loslassen. Akzeptanz ist ein innerer Zustand von Gleichmut. Für uns Menschen ist es eine der schwierigsten Übungen, die Realität gleichmütig zu akzeptieren, wie sie ist. Dabei liegt in der Leidenschaftslosigkeit des inneren Beobachters das größte Geschenk, das wir uns und der Welt geben können – nämlich innerer und äußerer Frieden. Das bedeutet nicht, dass wir uns nicht über bestimmte Dinge mehr freuen als über andere oder uns für das einsetzen, was uns wichtig erscheint. Wir werden noch sehen, dass Akzeptieren und Agieren durchaus Hand in Hand gehen können. Jedoch verlieren wir uns nicht in unseren Vorlieben und in den Vorstellungen, wie etwas laufen sollte, wenn die Realität offensichtlich anders ist.

Wie aber funktioniert es, zu akzeptieren und dennoch zu agieren? Die Aufforderung, das Hier und Jetzt zu akzeptieren, wie es ist, und mit Gleichmut anzunehmen, führt bei manchen Menschen zu Aggressionen. Einige reagieren darauf irritiert, weil sie der Meinung sind, dass es viele Dinge gibt, die sie so nicht annehmen können und wollen. Schließlich gibt es Krankheiten, den Klimawandel, Menschen werden diskriminiert, Tiere gequält, und Kinder verhungern. »Wie soll ich so etwas einfach akzeptieren und loslassen?! Wenn ich die Realität annehme, wie sie ist, dann wird sich da draußen in der Welt nie etwas verändern. Veränderung kann nur dann stattfinden, wenn ich gegen die Realität ankämpfe. Sonst liege ich doch in der Ecke herum und mache gar nichts mehr.« Dieser Gedanke ist ein Klassiker. Nach dem Motto: »Die Welt geht unter, und ich soll mich mild lächelnd dem Schicksal ergeben?« Doch dem liegt ein falsches Verständnis von Akzeptanz und Gleichmut zugrunde. Denn Gleichmut bedeutet nicht, gleichgültig zu sein. Gleichgültigkeit entsteht immer aus dem Ego heraus. Es ist eine »Mir ist alles ganz egal«-Haltung, die aus Widerstand, Bequemlichkeit, Angst oder Resignation heraus geboren wurde.

Also wie lässt sich dieser vordergründige Zwiespalt auflösen, zwischen »akzeptieren, was ist« einerseits und »sich engagieren« andererseits? Um den Prozess zwischen Akzeptanz und Engagement zu verdeutlichen, wähle ich in meinen Kursen oft folgendes Beispiel: Stell dir vor, ein sehbehinderter Mensch befindet sich in einem Raum, den er nicht kennt. Wenn diese Person den Raum verlassen möchte und dabei gegen eine Wand läuft, wird sie nicht vor der Wand stehen bleiben und dagegenhämmern, in der Hoffnung, dass diese sich öffnet. (Das wäre der Zustand, wenn wir die Realität nicht akzeptieren.) Genauso wenig wird sich die Person auf den Boden setzen, innerlich aufgeben und für den Rest ihres Lebens hier ausharren. (Das wäre der Zustand von falsch verstandener Akzeptanz, Verleugnung oder Resignation.) Der sehbehinderte Mensch wird akzeptieren, dass da eine Wand ist, und sich dann auf die Suche nach einem anderen hoffentlich vorhandenen Ausgang machen. Stößt er dabei gegen eine weitere Wand, wird er diese wiederum akzeptieren und sich weiter durch den Raum bewegen.

Wenn wir die Realität nicht akzeptieren, wie sie ist, sind wir verrückt. Wir hämmern an einer speziellen Stelle gegen eine Wand, in der Hoffnung, dass sie sich öffnet. Doch die Aussichtslosigkeit dieses Unterfangens ist nicht das einzige Problem. Wir kreieren noch zusätzliches Leiden durch unseren Widerstand und Kampf. Es ist schon schlimm genug, dass wir nicht aus dem Raum rauskönnen. Wenn wir zulassen, dass darüber hinaus auch noch Ärger oder Ängste entstehen, erzeugen wir umso mehr Leiden in uns. Tatsächlich ist das Leiden, das wir durch unsere Ängste, unsere Bedürftigkeit und Wut für uns und unsere Umwelt schaffen, sehr oft sogar größer als das Leiden am eigentlichen Zustand oder der Situation, die wir versuchen zu verändern.

»Was ist im Hier und Jetzt nicht in Ordnung?«

Diese Frage nun kann uns dabei helfen, in Akzeptanz und Gleichmut zu gelangen, indem wir unsere Vorstellungen loslassen. Sie unterstützt uns dabei, in einer schwierigen Situation in den Augenblick zurückzukommen und zu erkennen, was gerade Realität ist und was nicht. Betrachten wir diese Frage nur oberflächlich, kann auch sie eine innere Abwehr auslösen, weil wir eben finden, dass viele Dinge in unserem Leben nicht in Ordnung sind. Doch alle Fragen, die ich dir hier vorstelle, wirken am besten, wenn du sie wie eine Meditation benutzt.

Wäre ich die sehbehinderte Person vor der Wand, würde ich mir die Zeit nehmen, um die Frage tiefer nach innen fallen zu lassen: »Was ist im Hier und Jetzt nicht in Ordnung?« Wenn ich innerlich still werde und ganz präzise zu schauen beginne, dann würde ich sehen, dass da eine Person in einem Raum vor einer

Wand steht und atmet. Was ist in dem Augenblick nicht in Ordnung, außer den Ängsten und Wünschen meines Verstandes? Außer der Angst, was passieren wird, wenn ich keinen Ausweg finde? Außer dem Wunsch, woanders sein zu wollen. Wenn ich nicht meinem Verstand folge, sondern ausschließlich in der Realität bleibe, dann ist da eine Person in einem Raum vor einer Wand und atmet. Wo ist gerade das Problem?

Lass mich dir dazu wieder ein Fallbeispiel erzählen. Jürgen Grah arbeitet als Tagesvater in Düsseldorf, ist Familienberater und hat selbst zwei Söhne, die mittlerweile erwachsen sind. Ich lernte Jürgen kennen, als er mich für einen Podcast anfragte. Er wollte mit mir über mein Buch *Du bist nicht, was du denkst* reden, in dem ich auch die Frage »Was ist im Hier und Jetzt nicht in Ordnung?« erwähne. Während unseres Gespräches erzählte mir Jürgen folgende Geschichte:

Vor ein paar Jahren begannen seine Teenagersöhne zum Feiern nachts auszugehen. Jürgen saß währenddessen zu Hause und wartete darauf, dass die Zwillinge zurückkamen. Je mehr Zeit verstrich, umso größer wurden seine Ängste. Sein Verstand erzeugte kinoreife Filme davon, was alles passieren könnte. Er sah, wie seine Söhne überfallen wurden und dann hilflos und zusammengeschlagen im Straßengraben lagen. Je länger Jürgen mit seiner Aufmerksamkeit den Gedanken folgte, desto extremer wurden die Fantasien über alle möglichen Szenerien und umso größer die Ängste. Irgendwann erinnerte er sich an die Frage »Was ist im Hier und Jetzt nicht in Ordnung?«. Er beobachtete sich von außen und sah, dass da ein Mann auf einem Sofa saß, der atmete. Er konnte in dem Moment nichts finden, was nicht in Ordnung war. So arbeitete sich Jürgen von Atemzug zu Atemzug heraus aus seiner Angst, bis seine Jungs irgendwann müde und zufrieden wieder zu Hause eintrafen.

Die Frage »Was ist im Hier und Jetzt nicht in Ordnung?« ist ein hervorragendes Instrument, um zu erkennen, was tatsächlich real ist und was unserer Einbildung entspringt. Ihre Simplizität zwingt uns dazu, unser inneres Mikroskop auf diesen Moment scharf zu stellen und ganz genau hinzugucken. Wir fragen nicht: »Was war vor fünf Minuten nicht in Ordnung?« oder »Was könnte in fünf Minuten nicht in Ordnung sein?«, sondern bleiben ganz präzise in der Realität des Augenblicks. Sobald wir einen klareren Blick auf uns und die Situation bekommen, können wir feststellen, dass die Realität immer wohlwollender ist als unsere Fantasie. Dadurch bekommen wir eine größere Bereitschaft zu akzeptieren, was das Leben uns gerade offeriert.

Bevor Simone in den Achtsamkeitskurs kam, hatte sie monatelang mit starken Stress- und Erschöpfungssymptomen zu tun: Schlaflosigkeit, Gedankenkarussell, Tinnitus, Appetitlosigkeit, Gewichtsverlust, muskuläre Verspannungen, Schweißausbrüche und zudem Taubheitsgefühle in den Beinen. Sie hatte alles versucht, um an der Situation etwas zu ändern: zig Arztbesuche, MRTs und alle möglichen Versuche, sich über Entspannungsmethoden, Schlafhygiene, gesunde Ernährung und Vitaminzufuhr mehr Erleichterung zu verschaffen. Das ein oder andere war hilfreich, aber letztlich kämpfte sie immer noch jeden Tag innerlich gegen die körperlichen Symptome an.

Während des Achtsamkeitskurses wurde ihr bewusst, dass sie die ganze Zeit im Krieg gegen den Zustand war und nicht bereit, ihn anzunehmen. Daraufhin begann sie, ihre innere Haltung zu verändern. Sie akzeptierte die Situation so, wie sie gerade war, und hörte auf, sich sehnlichst zu wünschen, dass es ihr wieder besser geht und sie wieder in ihren Normalzustand zurückkehrt. Sie sagte sich: »Okay, ich schlafe nur zwei Stunden in der Nacht, ich habe Ohrengeräusche, wenig Energie, Verspannungen,

Taubheitsgefühle, immer wieder Schweißausbrüche und wiege kaum noch was, aber was soll's! Ich kann daran gerade nichts ändern, und es wird mich vermutlich noch eine Zeitlang begleiten. Also akzeptiere und integriere ich diesen Zustand jetzt erst mal in mein Leben und konzentriere mich auf all die vielen Dinge, die gerade gut bei mir sind, und versuche, Freude daran zu haben.« Diese neue innere Haltung von Akzeptanz schenkte Simone unmittelbar mehr psychischen Frieden, und daraufhin verbesserte sich auch ihr physischer Zustand zusehends.

Wenn unser Körper ohnehin schon leidet, ist es nicht hilfreich, wenn wir durch unsere Gedanken noch mehr Stress aufbauen. Die Ängste über die Zukunft oder der Druck, dass es uns besser gehen sollte, sind zusätzliche Belastungen, die sich dann noch auf die Krankheit obendrauf setzen. Körperlich krank zu sein ist schon schmerzhaft genug, ohne dass wir noch weiteres Leiden durch unsere Gedanken hinzufügen. Stattdessen ist die beste Medizin, die wir – von unserer Seite aus – dem Körper und unserer Psyche in so einer Situation geben können: liebevolle Zuwendung, Gleichmut und Akzeptanz.

Der Prozess der Akzeptanz lässt sich mit den Aggregatzuständen von Wasser vergleichen. Bevor wir akzeptieren, sind wir durch die Ego-Identifikationen innerlich festgefroren wie Eis. Doch in dem Augenblick, in dem wir die jetzige Situation akzeptieren, werden unsere Identifikationen wieder flüssig oder gasförmig und transformieren zurück in ihren ursprünglichen Bewusstseinszustand. Das Ego ist schließlich ebenfalls ein Teil des Bewusstseins. Allerdings hat es sich durch die Gedanken, denen wir glauben, deformiert und ist fest geworden. Diesen kranken, gefrorenen Teil können wir wieder auftauen und heilen. Wo unser innerer Aggregatzustand vorher hart und bewegungslos war, hat die Wärme unseres Mitgefühls und unserer Akzeptanz die

Ego-Identifikationen wieder zurück ins ursprüngliche Sein transformiert und gibt uns so unsere innere Freiheit zurück.

Was ist die größte Angst?

Einen wichtigen Aspekt müssen wir noch hervorheben, den uns die Akzeptanz schenkt und der oft nicht gesehen wird. Sind wir bereit, den Moment mit Gleichmut anzunehmen, geschieht eine Offenbarung. In dem Augenblick der Akzeptanz öffnet sich unser Blick, und wir erhalten eine größere Weitsicht. Dadurch bekommen wir automatisch mehr Handlungsoptionen. Wir können erkennen, dass es noch andere Wege gibt als nur den einen durch die Wand.

> Gleichmut und Akzeptanz öffnen die Scheuklappen, die uns der Verstand angelegt hatte, und wir haben jetzt die Möglichkeit, ein großes Spektrum an Perspektiven einzunehmen.

Plötzlich können wir Wege und Chancen erkennen, die wir vorher nicht gesehen haben, weil unser Blick in der Ausrichtung festhing, die der Ego-Verstand vorgegeben hatte.

Dazu möchte ich dir von einem persönlichen Erlebnis erzählen. Vor einigen Jahren wachte ich nachts mit einem starken Druckgefühl in der Brust auf. Ich war allein zu Hause und hatte die Empfindung, kaum noch atmen zu können. Ich fühlte mich wie eingeschnürt. Dieses enge Gefühl in der Brust und das geringe Volumen des Atems waren erst einmal unschuldige Objekte meiner Wahrnehmung. Doch mein Verstand begann diese Objekte augenblicklich zu kommentieren: »Herzinfarkt«, schoss es durch meinen Kopf. Dieser Gedanke war nun ein weiteres Objekt in meinem inneren Universum – ein Objekt der zweiten Generation. Ich konnte beobachten, wie daraufhin unmittelbar ein drittes Objekt auftauchte ... eine Emotion ... Furcht. Durch die Angst, die aufstieg, schienen die beklemmenden Symptome in der Brust und die Kurzatmigkeit noch stärker zu werden. »Notarzt«, schrie mein Verstand immer wieder und lieferte mir eine Zukunftsfantasie nach der anderen: Bilder, wie ich den Notruf wähle; ein Krankenwagen mit Blaulicht, der durch die Nacht rast; Versuche der Wiederbelebung; grell beleuchtete Krankenhausflure und so weiter.

Doch weil ich zu dem Zeitpunkt schon einige Jahre praktiziert hatte, hörte ich nicht auf diese Impulse meines Verstandes und entschied mich, nicht sofort zum Telefon zu greifen. Stattdessen folgte ich – mit einem Teil meiner Aufmerksamkeit – meiner Atmung und beobachtete aus der Stille den gesamten Wahnsinn, den mein Verstand veranstaltete. Ich stellte mir die Frage: »Was ist im Hier und Jetzt nicht in Ordnung?« Da war eine Person im Bett mit einem Druck auf der Brust, die schwer atmete. Ohne die Gedanken war dies nicht weiter schlimm.

Sri Nisargadatta Maharaj sagt, dass es ein Aspekt unserer wahren Natur ist, zu beobachten, wie die Ereignisse kommen und gehen, ohne dass sich unsere wahre Natur dabei verändert.[16] Dieser Aspekt, von dem Nisargadatta Maharaj spricht, ist der innere Beobachter, die innere Beobachterin. Aus dieser inneren Distanz heraus blickte ich auf das Wesen im Bett mit seinen Symptomen und stellte die nächste Frage: »Was ist deine größte Angst?« »Zu sterben!«, schrie eine Stimme in mir. Ich beobachtete die Angst weiterhin aus dem Abstand und mit Gleichmut. Trotz der starken körperlichen und emotionalen Reaktionen sank ein Teil von mir immer tiefer hinein in einen vollkommenen Frieden, bis aus der inneren Stille unvermittelt eine Klarheit auftauchte. Mir war noch nie zuvor so ungeschminkt bewusst, dass dieser Körper sterben muss und dass da keine Kontrolle ist, wann und wie es passieren wird. »Ist dies der Tag?«, fragte etwas in mir interessiert. »Sollte es heute geschehen?« Und ich wusste: »Es wird irgendwann sowieso passieren! Also ist der Tag heute genauso gut dafür geeignet wie jeder andere Tag auch.«

Wenn wir zu dem Ort der größten Angst gehen und mit Offenheit akzeptieren, dass das, wovor wir Angst haben, eintreten könnte, werden wir frei. In dem Augenblick der kompletten Hingabe hatte ich das Gefühl, dass ich mich auflöse. Da war vollkommene Angstfreiheit, und ich erlebte ein – noch nie zuvor gefühltes – Glück. Vor Freude fing ich still an, in mich hineinzulachen. Dann entspannte sich alles in mir. Der Druck in meiner Brust und die Atemnot verschwanden, und einige Zeit später schlief ich wieder ein.

Haltung und Handlung

Dieses Erlebnis soll nicht als Aufforderung verstanden werden, bei körperlichen Symptomen auf ärztliche Hilfe zu verzichten. Es ist möglich, dass ich in einer ähnlichen Situation in der Zukunft zum Telefon greifen würde. Der wesentliche Punkt an dieser Geschichte ist nicht, wozu ich mich entschieden habe, sondern aus welcher inneren Haltung heraus. Dies führt uns zu einem weiteren zentralen Grundsatz in der Meditationspraxis:

> Die Handlung, für die wir uns entscheiden, ist nicht ausschlaggebend. Die wesentliche Frage ist immer: Aus welcher inneren Haltung heraus begehen wir sie?

Entscheidungen, die wir aus Angst, aus Ärger oder aus Bedürftigkeit und Gier treffen, tragen in der Regel eine Menge Leid mit sich. Darum ist es nie weise, aus so einer emotionalen Gemengelage heraus zu agieren. Wenn möglich sollten wir immer versuchen, einen inneren Abstand zu diesen Emotionen herzustellen, bevor wir etwas tun oder sagen.

Wir blicken auf das Wunder des Lebens, das sich auf diesem Planeten manifestiert hat, und sehen, dass der Ego-Kapitalismus solche Ausmaße angenommen hat, dass er mittlerweile die meisten Lebewesen gefährdet. Und aufgrund der ganzen Krisen, die wir beobachten, geraten wir in Verzweiflung über die Zukunft, haben Ängste um unsere Kinder, die Tier- und Pflanzenwelt und ärgern uns über die Tatenlosigkeit von Politik und Wirtschaft. Dann agieren oder resignieren wir aus diesen emotionalen Zuständen heraus. Doch solange wir aus den üblichen Ego-Identifikationen von Angst, Ärger und Bedürftigkeit heraus handeln, werden keine Veränderungen in der Welt passieren.

Ja, es ist dringend nötig, dass wir in die Handlung kommen und mehr für Klima- und Naturschutz leisten. Doch dies muss Hand in Hand gehen mit der inneren Transformation. Wir dürfen nicht innerlich im Krieg sein, wenn wir für Frieden eintreten wollen, für einen achtsamen Umgang mit der Umwelt und für Gleichberechtigung. Denn dadurch kreieren wir nur noch mehr Krieg. Die globalen Krisen, in denen wir stecken, sind ja erst durch diesen emotionalen Irrsinn der Ego-Identifikationen entstanden. Auch wenn unsere Intentionen noch so gut und edel sind, ist es fatal, weiterhin aus demselben Muster und Mindset heraus zu operieren.

Es gibt zahlreiche Beispiele in der Geschichte, wo Menschen, die anfänglich eine positive Intention hatten, am Ende sehr viel Chaos und Terror erzeugt haben. Das konnten wir während der blutigen Französischen Revolution beobachten, im diktatorischen

Sozialismus Osteuropas oder der mörderischen Kulturrevolution Chinas. Eine gute Absicht allein reicht nicht. Wir doktern seit Jahrhunderten an Symptomen herum, ohne dass wir uns dem Kern unserer Probleme zuwenden: der mentalen Krankheit des Ego-Verstands. Die Heilung der Krise kann nur durch eine Transformation des kollektiven Bewusstseins passieren. Je mehr Menschen beginnen, achtsam an ihrer mentalen Gesundheit zu arbeiten, desto eher erreichen wir eine kritische Masse, die weitestgehend frei von dem Ego-Erreger ist, und umso schneller kann eine Kettenreaktion in Richtung gemeinsamer Heilung stattfinden.

> Akzeptanz zu praktizieren bedeutet also auf keinen Fall, alles nur hinzunehmen und nicht zu handeln, sondern uns zuerst in einen Zustand von Gleichmut und Frieden zu versetzen, bevor wir aktiv werden oder eine Entscheidung treffen. Das Motto ist: Erst akzeptieren, dann agieren.

Der Ablauf ist also genau andersherum, als wir es normalerweise machen. Üblicherweise handeln wir aus dem Affekt heraus – aus unserem Ärger, aus der Verzweiflung, der Angst oder Gier. Nachdem die emotionale Energie dann verpufft ist, kommen wir wieder zu Sinnen und beginnen darüber zu reflektieren, was wir da gerade gemacht haben.

Vor einigen Jahren wurde ich zum Schöffen berufen und erlebe seither in Gerichtsprozessen immer mal wieder Angeklagte, die rückblickend beschämt und erschrocken darüber sind, wie sie sich in dem Moment der Straftat verhalten hatten. Sie können im Hier und Jetzt nicht mehr nachvollziehen, was damals in sie gefahren war. Wenn wir Achtsamkeit praktizieren, trainieren wir es, diesen Prozess umzukehren. Das ist der Grund, warum wir die

Impulskontrolle üben. Wir werden zuerst innerlich still, akzeptieren die Situation, in der wir uns befinden, und entspannen uns hinein, anstatt sofort zu handeln oder zu sprechen.

Dass es möglich ist, friedvoll aktiv zu sein und große Transformationen zu bewirken, zeigen uns historische Beispiele wie Mahatma Gandhi und Nelson Mandela. Auch Thay war sein ganzes Leben lang aktiv in der Friedensbewegung und im Umweltschutz tätig. 1967 wurde er für seinen Einsatz von Martin Luther King Jr. für den Friedensnobelpreis vorgeschlagen, und darüber hinaus hat er den Ausdruck des »engagierten Buddhismus« geprägt.[17]

Nicht zu handeln ist in der spirituellen Praxis genauso wenig eine Option, wie aus Angst oder Wut zu agieren. Der evangelische Theologe Dietrich Bonhoeffer sagt: »Tatenloses Abwarten und stumpfes Zuschauen sind keine christlichen Haltungen.«[18] Während des Zweiten Weltkriegs bezog er Stellung gegen die Judenverfolgung und wurde 1945 von den Nationalsozialisten in einem Konzentrationslager erhängt.

Wenn wir den Eindruck haben, dass ein Thema nicht die Aufmerksamkeit bekommt, die es unserer Meinung nach verdient hätte, dann können wir E-Mails an Minister*innen und Abgeordnete schreiben. Wir können uns bei Nichtregierungsorganisationen engagieren, zu Demonstrationen gehen, Geld spenden, und wir können achtsam dafür sein, wie wir durch unsere tagtäglichen Handlungen mehr Nachhaltigkeit und Gerechtigkeit in die Welt bringen können. Dabei sollten wir nicht die Erwartung haben, dass sich durch unsere Handlungen etwas ändert, aber mit jeder Aktion pflanzen wir einen Samen und lassen uns davon überraschen, ob und wann diese Saat aufgeht. Der Friedensnobelpreisträger Martin Luther King Jr., der sich gegen die Unterdrückung der afroamerikanischen Bevölkerung eingesetzt hat, sagt:

»Der Bogen des moralischen Universums ist lang, aber er biegt sich immer in Richtung Gerechtigkeit.«[19]

Wir waren in Plum Village angehalten, nie direkt zu reagieren, wenn irgendjemand etwas tat oder sagte, das uns ärgerte. Stattdessen haben wir erst einmal gestoppt und geatmet. Manchmal mussten wir uns umdrehen und woandershin gehen, weil die Emotion in dem Moment zu stark war. Wenn wir noch in der Lage dazu waren, konnten wir zu unserem Gegenüber sagen: »Ich merke, dass ich mich gerade sehr ärgere, und ich brauche jetzt erst einmal Zeit, um damit zu praktizieren.« Dann zogen wir uns zurück, um mit der Wut zu arbeiten. Gelegentlich konnte es mehrere Tage dauern, bis wir wieder in der Lage waren, aus einem größeren Abstand und Frieden heraus mit der Person zu kommunizieren, die uns so aufgebracht hatte. In einigen Fällen mussten wir auch einen älteren Bruder oder eine erfahrenere Schwester bitten, mit uns zu praktizieren, damit wir wieder mehr Klarheit bekamen.

Wenn wir ein Kloster oder spirituelles Zentrum betreten, lösen sich unsere Ego-Identifikationen nicht durch Zauberhand an der Pforte auf. Natürlich nehmen wir uns mit all unseren Mustern und Erfahrungen mit, und darum können dieselben Dinge passieren wie in der Welt draußen. Ich habe einmal erlebt, wie ein aufgebrachter Bruder auf einen anderen losgehen wollte und eine handgreifliche Auseinandersetzung nur dadurch verhindert wurde, dass sich ein weiterer Mönch schnell genug dazwischenstellte. Die Bewohner*innen im Kloster erleben genau dieselben Emotionen von Ärger, Sorgen, Gier und Bedürftigkeit wie alle anderen Menschen auch. Doch der Unterschied zur Alltagswelt besteht darin, dass es in einem spirituellen Zentrum ein inneres Commitment gibt, mit den eigenen Schwierigkeiten zu üben, anstatt sie auszuagieren. Nach einer solchen Auseinandersetzung waren die beteiligten Mönche verpflichtet, mit ihrem Ärger zu arbeiten und einen Weg zu finden, um sich wieder zu versöhnen.

Wenn wir aus einer inneren Freiheit heraus agieren, hat unser Tun eine viel größere Kraft. Vor allem werden unsere Aktionen nachhaltig Frieden bringen – selbst wenn sie in dem Moment vielleicht schmerzhaft für uns oder andere sind. Es wäre ein Segen für uns alle und die Welt, wenn wir alle eine solche Praxis in unseren Alltag übertragen würden. Welche Veränderungen würden wir allein dadurch erleben, wenn Politiker*innen sich dazu verpflichten würden, erst an ihrer mentalen Gesundheit zu arbeiten, bevor sie sprechen oder handeln!

(Selbst-)Vergebung

Um in den Zustand von Akzeptanz und Gleichmut zu kommen, müssen wir verzeihen. Wir vergeben uns, dass wir so sind, wie wir sind, und wir vergeben der Welt, dass sie so ist, wie sie ist. Albert Schweitzer sagt: »Ein Herz, das nicht verzeihen kann, wird keinen Frieden finden.«[20]

Wenn wir nicht in der Lage sind loszulassen, dann brennen wir innerlich. Wir sind diejenigen, die leiden. Die Person da draußen, über die wir uns ärgern, hüpft vielleicht fröhlich durch die Weltgeschichte. Solange wir nicht verzeihen, bleiben wir Gefangene des Egos – Gefangene unseres Ärgers oder unserer Schuld und Scham.

Es gibt viele beeindruckende Beispiele von Menschen, die vergeben konnten, obwohl ihnen sehr Schlimmes angetan wurde. Mohamedou Ould Slahi beispielsweise wurde kurz nach den Anschlägen von 9/11 verhaftet und zum US-Militärstützpunkt Guantánamo gebracht, wo er vierzehn Jahre ohne Anklage und ohne Gerichtsprozess verbrachte. Er beteuerte immer wieder seine Unschuld. Trotzdem wurde er während seiner Haftzeit mit der Erlaubnis der US-Regierung gefoltert: Schlafentzug, Isolationshaft, Waterboarding (der Inhaftierte wird über einen längeren Zeitraum mit dem Kopf unter Wasser gehalten), Scheinhinrichtungen, Schläge und sexuelle Übergriffe musste Slahi immer wieder über sich ergehen lassen. Nachdem er entlassen wurde, gab er ein Interview, in dem er denjenigen von ganzem Herzen vergab, die ihm all das angetan hatten. Er sagte, dass er für die Vergebung viel Reflexion, Meditation und Gebet benötigt hätte. Doch dann war es wie eine Erleuchtung. Ihm wurde klar, dass keine Form der Rache mit der Vergebung konkurrieren kann. Für ihn wurde der Akt des Verzeihens ein Akt der Selbsterhaltung. Ein Weg, um seine menschliche Würde aufrechtzuerhalten. Er tue es für sich, sagte er, nicht für irgendjemand anderes.[21]

Zu verzeihen ist ein spiritueller Akt, der sich in allen Religionen wiederfindet. Der Akt der Vergebung ist in der Lehre des Christentums ein zentrales Motiv. Egal welcher christlichen Konfession heutzutage jemand angehört, das »Vaterunser«, das Jesus in der Bergpredigt gelehrt hat, wird von allen Christen weltweit gebetet: »Und vergib uns unsere Schuld, wie auch wir vergeben unseren Schuldigern.«

In einer der ältesten buddhistischen Schriften, dem Pali-Kanon, taucht ein skrupelloser Mörder mit dem Namen Angulimala auf, der den Tod Hunderter von Menschen auf dem Gewissen hat. Eines Tages lauert Angulimala an einem versteckten Ort auf sein nächstes Opfer, als der Buddha vorbeikommt. Angulimala stürzt daraufhin aus dem Wald und ruft: »Stopp! Bleib stehen!« Doch der Buddha geht unverändert weiter. Angulimala ruft noch einmal, dass der Buddha stoppen soll. Daraufhin dreht sich der erleuchtete Meister um und sagt: »Ich habe schon vor langer

Zeit gestoppt. Ich habe aufgehört, andere Lebewesen zu verletzen, und das solltest du auch tun.« Beeindruckt von diesen Worten wirft Angulimala seine Waffen weg und folgt dem Buddha, um Mönch zu werden.

Doch damit beginnt eine weitere Leidenszeit für den ehemaligen Mörder. In der buddhistischen Tradition wandern die Mönche durch die Dörfer und erbitten Essensspenden von den Bewohnern. Da die Bevölkerung Angulimala erkennt, wird er mit Steinen beworfen und bekommt nichts zu essen, sodass seine Brüder ihm etwas abgeben müssen, damit er nicht verhungert. Doch die wesentlich schwerere Last, die Angulimala zu tragen hat, sind seine Schuldgefühle. In seinen Meditationen tauchen auch nach Jahren immer wieder Bilder von den Taten auf, die er in der Vergangenheit begangen hat.

Der Buddha sucht nach einer Möglichkeit, um ihm dabei zu helfen, loszulassen und zu akzeptieren. Er ruft Angulimala zu sich und bittet ihn, zu einer Frau zu gehen, die große Schwierigkeiten hat, sich bei der Geburt zu entspannen: »Geh zu ihr und sage: So wahr, wie ich in diesem Leben noch niemanden verletzt habe, verspreche ich dir, alles wird gut.« Angulimala ist geschockt darüber, was der Buddha von ihm verlangt und dass der Buddha ihn offensichtlich auffordert zu lügen. Doch der Meister fragt ihn, ob er seit Beginn seines neuen Lebens als Mönch schon jemanden verletzt hätte. Daraufhin begreift Angulimala und erlaubt sich, seine alten Taten loszulassen. An jenem Abend hat er zum ersten Mal eine friedvolle Meditation, und einige Zeit später erleuchtet er.

In vielen Gefängnissen weltweit gibt es Angulimala-Projekte. Den Inhaftierten wird durch Meditation und Achtsamkeit dabei geholfen, mit der Vergangenheit und ihrer Schuld umzugehen und sich dadurch neu auszurichten.

Vergebung zu erfahren bedeutet nicht, dass wir keine Verantwortung für unsere Handlungen übernehmen müssen. Vergebung bedeutet, dass wir Frieden machen mit der Vergangenheit.

Übung

Die folgenden Übungen sollen dich dabei unterstützen, deine jetzige Realität zu erkennen und so anzunehmen, wie sie ist.

1. Akzeptieren, was ist: Übe in deinem Alltag, alle Situationen so anzunehmen, wie sie sich dir gerade präsentieren. Nutze die Frage »Was ist die größte Angst?«, um dich mit den schlimmsten Fantasien vertraut zu machen, die dein Verstand erschafft, und lerne auch deine größten Ängste zu akzeptieren.
2. Benutze die Frage: »Was ist im Hier und Jetzt nicht in Ordnung?«, wenn du im Widerstand mit der Realität bist.
3. Achtsame Handlungen: Was kannst du tun, um positive Veränderungen in die Welt zu tragen? Wo kannst du dich engagieren, damit mehr Nachhaltigkeit und Gerechtigkeit geschehen können?
4. Finde Vergebung für dich und deine Umwelt. Ein anderer Ausdruck für Vergebung ist Großzügigkeit. Sei radikal großzügig mit dir und anderen.

Fünfte Frage: »Wer spricht da gerade?«

Die Frage nach der inneren Stimme:
Antreiber, Kritiker, Sorge und Anspruch.
Finde: Abstand.

In allen Kulturen und religiösen Traditionen kennt man Geschichten über Menschen, die besessen waren. Oft wird die Instanz, die einen Menschen »besetzt«, als dämonische Kraft bezeichnet, als böser Geist oder einfach als Stimme im Kopf, die jemanden heimsucht und dann für eine kürzere oder längere Zeitperiode bleibt. Berühmte Beispiele solcher Heimsuchungen sind die Begegnungen von Jesus mit dem Teufel, als er vierzig Tage in der Wüste verbrachte, oder Buddhas Zusammentreffen mit Mara (einer teufelsähnlichen Gestalt), als er meditierend unterm Bodhibaum saß. Diese Erzählungen sind deswegen so bekannt, weil sowohl Jesus als auch Buddha sich der Besessenheit erwehren konnten und dadurch eine höhere Stufe des Bewusstseins erlangten.

Faszinierend ist, wie sehr sich die beiden Geschichten ähneln, obwohl sie völlig unterschiedlichen Kulturen entstammen, fünfhundert Jahre auseinanderliegen und Tausende von Kilometern entfernt voneinander passierten. Während ihrer spirituellen Lehrjahre ziehen sich Buddha und Jesus von der Welt zurück, um sich innerlich zu reinigen und um durch Meditation und Gebet in Kontakt mit Gott beziehungsweise ihrem wahren Selbst zu gelangen. Dann tauchen der Teufel beziehungsweise Mara auf. Sie versuchen, Jesus oder eben Buddha dazu zu verführen, auf ihre Worte zu hören. Die beiden Dämonen möchten, dass sie weiterhin in den Ego-Identifikationen von Sorgen, Gier oder Überheblichkeit gefangen bleiben. Doch nachdem die beiden Meister allen Versuchungen widerstehen, erreicht Buddha die vollkommene Erleuchtung[22], und als der Teufel schließlich von Jesus ablässt, »… kamen die Engel und dienten ihm«.[23]

Ähnliche Geschichten über die Auseinandersetzung mit Dämonen kennen wir auch aus Mythen und der Fantasyliteratur. In J. R. R. Tolkiens *Herr der Ringe* befinden sich Gandalf der Zauberer und seine Gefolgsleute auf der Flucht vor Balrog, einem riesigen feuerspeienden Monster. Auf einer Brücke über einer Schlucht kommt es zum Showdown. Gandalf stellt sich dem Dämon und wird während der Auseinandersetzung mit ihm in die Schlucht hinabgerissen, wo sie zwei Tage und Nächte lang kämpfen. Nachdem Gandalf den Dämon besiegt hat, erreicht auch er eine höhere Bewusstseinsstufe. Er verwandelt sich von Gandalf Graurock in den mächtigen Zauberer Gandalf der Weiße.

All diese Geschichten können wir als Landkarten des Bewusstseins verstehen. Es sind Richtungsanweisungen, die uns Menschen durch das innere Universum lotsen sollen, vorbei an den verführerischen Stimmen des Egos. Denn die Teufel und Monster in diesen Erzählungen sind Allegorien für jene Dämonen, denen auch alle von uns ausgesetzt sind. Buddha und Jesus befanden sich an einsamen, abgeschiedenen Orten. Sie waren allein mit sich. Die Versuchungen passierten also in Form von Stimmen in ihren Köpfen – genau wie bei jedem anderen Menschen auch. Diese Erzählungen wollen uns vermitteln, dass wir durch eine bewusste Auseinandersetzung mit unseren inneren dämonischen Stimmen ebenfalls in der Lage sind, auf eine höhere Entwicklungsstufe zu gelangen. Genau deshalb ist die fünfte Frage so wichtig: »Wer spricht da gerade?«

In vielen Naturreligionen sind Schamanen und Schamaninnen dafür zuständig, die Austreibung innerer Dämonen zu vollziehen, um die Besessenen zu heilen. Die Medizinmänner und -frauen haben gelernt, ihre eigene Besessenheit mithilfe von Tänzen, Trommeln, Gesängen oder dem Gebrauch halluzinogener Drogen zu kontrollieren. Durch die Beherrschung der eigenen inneren Geisterwelt sind sie in der Lage, anderen Menschen ebenfalls zur mentalen Gesundheit zu verhelfen. Reinigungsrituale und Beschwörungen, um das Böse abzuwehren, gibt es in jeder Religion. Doch sind die Zeiten vorbei, wo wir uns darauf verlassen konnten, dass Heilkundige, Priester*innen und Gurus uns die Besessenheit austreiben und uns erlösen. Unser kollektives Bewusstsein hat im Laufe der Jahrtausende eine evolutionäre Entwicklung vollzogen.

> Wir sind an einem Punkt angelangt, wo wir dem Teenagerstadium des Bewusstseins entwachsen und unser Schicksal selbst in die Hand nehmen müssen und können.

Genauso wie es an der Zeit ist, dass wir uns mehr in der Welt engagieren, können wir auch unsere inneren Schwierigkeiten nicht mehr anderen überlassen und sind aufgefordert zu lernen, uns selbst mit den Monstern in unseren Köpfen auseinanderzusetzen.

Dämonen im Kopf

Menschen sind tagtäglich besessen von Dämonen, ohne dass sie sich dessen bewusst sind. Die Geister, die in Form dieser verführerischen Stimmen auftauchen, entlässt der Verstand ununterbrochen in das innere Universum. Die ständige Anwesenheit von Stimmen im Kopf hat sich zu einer Selbstverständlichkeit für uns entwickelt. Dieses Hintergrundrauschen nehmen wir gar nicht mehr richtig wahr und sind uns dadurch auch nicht darüber bewusst, welchen toxischen Effekt Gedanken haben können. Es ist wie bei Menschen, die über Jahre starkem Auto- oder Flugverkehr ausgesetzt sind. Es kann sein, dass sie den Krach irgendwann gar nicht mehr hören. Doch die gesundheitsgefährdenden Folgen dieser Lärmbelastung sind sowohl auf körperlicher als auch auf psychischer Ebene messbar.[24]

Der äußere Krach ist für die Betroffenen zur Normalität geworden, und genauso ist für die meisten Menschen der innere Lärm der Gedanken ein alltäglicher Zustand. Das Fatale daran ist, dass wir die Stimmen nicht als etwas wahrnehmen, zu dem wir Distanz aufbauen können.

> Es ist ein besonders geschickter Trick des Egos, uns davon zu überzeugen, dass wir es sind, die da sprechen, da der Dialog schließlich in uns stattfindet.

Doch bloß, weil ich eine Stimme in meinem Kopf höre, heißt das noch nicht, dass »ich« da rede. Eine der großen Weisheiten, die uns die erwähnten Geschichten vermitteln wollen, ist, dass wir lernen müssen, die dämonischen Gedanken von unserem beobachtenden »Ich« zu trennen. Buddha und Jesus sind nicht davon ausgegangen, dass die Stimmen in ihren Köpfen von ihnen stammen. Sie haben Abstand zu den inneren Dämonen hergestellt, und genau dadurch konnten sie frei werden.

> Einer der wichtigsten Schritte in der Achtsamkeitspraxis ist, dass wir die Vorstellung aufgeben, die Stimme in unserem Kopf zu sein.

Natürlich ist nicht jeder Gedanke eine dämonische Stimme. Es gibt mentale Prozesse, die wir bewusst vollziehen und die uns große Dienste leisten. Wir werden noch genauer sehen, dass die Stimmen in unseren Köpfen sehr positive Energien haben können, wenn sie achtsam eingesetzt werden. Doch die allermeisten Gedanken in unserem Alltag entscheiden nicht wir zu denken – sie passieren einfach. Niemand von uns weiß, was er oder sie in fünf Minuten denken wird. Wir könnten also auch sagen: Wir werden gedacht, beziehungsweise unser Verstand denkt in uns. So wie die allermeisten körperlichen Prozesse passieren, ohne dass wir Einfluss darauf haben, handelt der Verstand ebenfalls größtenteils ohne jegliche Kontrolle.

Warum ausgerechnet dieser oder jener Gedanke aufkommt, hängt von vielen verschiedenen Faktoren ab. In der Regel haben Erziehung, Vererbung, Sozialisierung oder Traumata den größten Einfluss darauf, welche Stimme in unserem inneren Weltall auftaucht und wie dominant sie uns erscheint. Doch dies passiert alles unbewusst. Bis wir Achtsamkeit praktizieren – denn dann können wir unseren Gedankenstrom dahin ausrichten und trainieren, dass er sich konstruktiv auswirkt statt destruktiv. Darum ist es so wichtig, bewusst zu beobachten, was in unseren Köpfen passiert, um die hilfreichen von den toxischen Gedanken zu unterscheiden.

Es ist relativ einfach zu erkennen, welche Stimmen uns dienlich sind und welche nicht. Wir haben bereits erfahren, dass uns die Emotionen als Barometer oder Lackmustest dienen. An ihnen können wir erkennen, ob wir mit dem Ego identifiziert sind oder nicht. Fühlen wir im Hier und Jetzt Angst, Ärger, Bedürftigkeit oder Gier, dann wissen wir, dass eine Stimme aufgetaucht ist, die wir erst mal besser auf Abstand halten sollten. Die Emotionspakete – Angst, Ärger, Bedürftigkeit und Gier – sollten uns deswegen immer als sehr laute innere Alarmglocken dienen. Empfinden wir hingegen Stille, Liebe, Dankbarkeit, Mitgefühl, Klarheit und Frieden, dann befinden wir uns im Zustand des Beobachters und in der Freiheit. In diesem Modus haben wir mehr Weisheit, und unsere Worte und Aktionen besitzen eine heilsame Kraft.

Seit Beginn des 19. Jahrhunderts haben die uralten spirituellen Weisheiten um unsere inneren Anteile wieder Zugang in die moderne Gesellschaft gefunden. C. G. Jung war einer der Ersten, die mit dem Konzept über die Archetypen versucht haben, die verschiedenen Energien zu beschreiben, die in unserem Bewusstsein vorhanden sind. Auch die Methode »Voice Dialogue« von Hal und Sidra Stone oder die Arbeit mit dem Inneren Kind und dem Inneren Schatten basieren auf der Erkenntnis, dass in uns Anteile wirken, die wir nicht bewusst steuern.[25] (Mehr zur Arbeit mit dem Inneren Kind im Kapitel zur neunten Frage »Woher kenne ich das?«)

Vier Stimmen in ihrer negativen und ihrer gesunden Energie

Um Abstand zu den Stimmen und ihrer Gravitationskraft zu bekommen und um sie zu erkennen, kannst du die Frage verwenden »Wer spricht da gerade?«. Sie gehört zum zweiten Schritt der Achtsamkeit, zur liebevollen Wahrnehmung. Auf den nächsten Seiten möchte ich dir die vier wichtigsten inneren Stimmen beschreiben, die uns in Zustände des Leidens versetzen können. Wie wir dabei sehen werden, haben diese vier Stimmen auch eine positive Seite, wenn sie gesund sind und nicht vom Ego übernommen wurden. In ihrer negativen Form jedoch können sie verheerende Auswirkungen auf uns haben, auf unsere Mitmenschen und die Umwelt. Erinnern wir uns, dass jede Stimme eine bestimmte Masse und Energie mit sich trägt, dementsprechend stark ist ihre Gravitationskraft.

Die Frage »Wer spricht da gerade?« solltest du stellen, wenn du Gedanken oder Emotionen wahrnimmst, die dir in irgendeiner Form Stress verursachen. Das Bewusstsein darüber, dass du nicht die Stimme bist, wird dir dabei helfen, Distanz zu ihr herzustellen, sodass du dich nicht mehr gezwungen fühlst, ihrem hypnotischen Klang zu folgen.

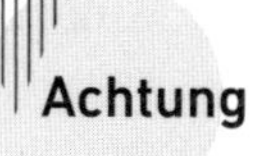

Achtung

Zwei Dinge sollten wir nie aus dem Blick verlieren, wenn wir mit den dämonischen Gedanken des Egos arbeiten.

1. Die Stimmen leben von der Energie unserer Aufmerksamkeit. Ohne unser Zutun könnten sie nicht existieren. Je mehr wir mit ihnen direkt interagieren, mit ihnen diskutieren und ihnen Glauben schenken, desto mehr füttern wir sie mit unserer Energie und umso größer und stärker erscheint uns ihre Kraft. Entziehen wir ihnen hingegen die Aufmerksamkeit, ignorieren wir sie oder bringen unsere Aufmerksamkeit zu heilsameren Gedanken und Emotionen, werden sie mit der Zeit zunehmend schwächer.

2. Die Stimmen werden versuchen, sich auf unsere Achtsamkeitspraxis zu setzen und diese zu übernehmen. Wenn wir zum Beispiel eine Affinität zur Kritikerstimme haben und feststellen, dass wir wieder einmal negativ mit uns gesprochen haben, kann es sein, dass plötzlich dieselbe Kritikerstimme aus einer anderen Ecke auftaucht, um uns genau dafür zu verurteilen. Der Kritiker kritisiert uns dafür, dass wir kritisch waren. Und auch dazu können wir dann wieder Abstand gewinnen.

Sorge – Vorausschau

Dies ist bei den meisten Menschen die aktivste und präsenteste Stimme im inneren Universum. Doch wie fast alle Stimmen kann auch diese Gedankenenergie sehr ambivalent sein. In ihrem mental gesunden Stadium plant sie vorausschauend für uns, ist achtsam und erinnert uns daran, dass wir zum Beispiel noch etwas einkaufen wollten, eine E-Mail zu beantworten haben oder andere Dinge erledigen müssen. Mit ihrer Fähigkeit vorauszublicken kann sie uns außerdem daran erinnern, dass wir im Hier und Jetzt achtsamer mit Ressourcen umgehen müssen, wenn wir das Leben auf diesem Planeten bewahren wollen. Mit all dem befindet sich diese Stimme in einem Zustand von umsichtiger Planung.

In ihrem mental kranken Stadium hingegen ist die Sorgenstimme ein Begleiter, der uns permanent in Unruhe und Furcht versetzt. Sie hält uns nachts wach und überlegt ängstlich und in wiederkehrenden Schleifen, was noch alles getan werden muss oder was alles Schreckliches in der Zukunft passieren könnte – sei es im Job, finanziell, gesundheitlich oder in unseren zwischenmenschlichen Beziehungen. Sie kann uns auch in Verzweiflung

und Ohnmacht treiben, wenn sie beispielsweise die ganze Zeit darüber nachdenkt, was mit dieser Welt geschieht, wenn der Klimawandel weiter voranschreitet und wir nicht in der Lage sind, die Erwärmung zu stoppen. Oft lässt sie uns bereits getroffene Entscheidungen anzweifeln, sodass wir darüber nie zur Ruhe kommen und immer wieder neu überlegen, ob dies jetzt der richtige Weg ist.

Meistens befindet sich die Sorgenstimme in der Zukunft. Doch sie kann auch quälende Gedanken über die Vergangenheit entwickeln, wenn sie sich ständig überlegt, ob wir etwas gut genug gemacht haben oder ob wir von anderen gemocht werden. Manche Menschen lauschen dieser Stimme rund um die Uhr, sodass sie eine regelrechte Sorgensucht entwickeln. Ihnen fällt es dann extrem schwer, die Aufmerksamkeit von diesen Gedanken abzuwenden. Stattdessen starren sie die ganze Zeit wie hypnotisiert auf die Stimme der Angst.

Ähnlich war es bei Meriam. Einige Zeit, nachdem sie einen Achtsamkeitskurs bei mir gemacht hatte, kontaktierte sie mich mit der Bitte um einen Rückruf. Sie befand sich mitten in einem sehr schwierigen und schmerzhaften Scheidungsprozess von ihrem Mann. Da ich sie nicht erreichen konnte, sprach ich ihr auf die Mailbox. Sehr viel später bekam ich von ihr folgende E-Mail: »An dem Tag, als ich aus der Kanzlei des Anwaltsbüros rauskam, war ich völlig verzweifelt. Ich hatte solche Sorge, wie ich all die Kosten für die Gerichtstermine bezahlen soll. Außerdem wusste ich nicht, wie ich die ewigen Konflikte mit meinem Ex-Mann bezüglich unserer Tochter in Zukunft bewerkstellige. Ich war völlig im Tunnel und konnte kein Licht mehr sehen. Ich lief die Straße entlang und sah, dass du mir eine Nachricht aufs Band gesprochen hattest. Noch heute höre ich sie mir in Notfällen an. Du sagtest: ›Hallo, liebe Meriam, du weißt doch: Alles geht vorbei. Hier und Jetzt, Hier und Jetzt, Hier und Jetzt. Bring deine Aufmerksamkeit nicht zu irgendwelchen Geschichten in der Zukunft!‹

Durch deine mantraartige Wiederholung von ›Hier und Jetzt‹ war ich wie hypnotisiert und wurde total klar im Kopf. Danach bin ich einen Kaffee trinken gegangen und konnte in Ruhe meine nächsten Schritte planen. Seitdem praktiziere ich das auch so. Ich sage es so lange, bis wieder Klarheit in meinem Kopf entsteht. Das hat mir sehr geholfen, und dafür bin ich sehr dankbar.«

Wie wir bei Meriam sehen, braucht es eine gewisse Entschiedenheit, um nicht den Sorgengedanken zu folgen, sondern im Hier und Jetzt zu bleiben. Als Gandalf aus Tolkiens *Herr der Ringe* auf der einen Seite der Brücke steht und das Monster auf der anderen, stößt der Zauberer seinen Stab mit genau dieser Entschiedenheit in die Erde und sagt: »You shall not pass – Du kannst nicht vorbei!«[26] Dies ist die Attitüde, die wir gegenüber jeder schmerzhaften Stimme entwickeln sollten. Wir müssen klar darin sein, dass wir nicht mit ihr mitgehen werden.

Genau dieselbe Haltung hat Jesus gegenüber dem Teufel gehabt, als er zu ihm sagte: »Weg mit dir, Satan.«[27] Wir müssen unmissverständlich an unserem Entschluss festhalten, den Stimmen nicht zu folgen, ohne jedoch gegen sie anzukämpfen, denn dadurch geben wir ihnen nur Energie. Auch der Buddha streitet nicht mit Mara, sondern verwurzelt sich im Hier und Jetzt, indem er mit seiner Hand den Boden berührt und sagt: »Die Erde ist mein Zeuge.«[28] Mithilfe dieser Geste holt er seine Aufmerksamkeit in die Realität des Augenblicks.

Wenn wir im jetzigen Moment aus der Instanz des Beobachters heraus zuschauen, wie die Angststimme wild herumwirbelt, um unsere Aufmerksamkeit zu erhaschen, und ihr aber nicht folgen, wird der Sturm langsam immer schwächer werden, bis er schließlich verschwindet. Darum ist die Frage »Was ist im Hier und Jetzt nicht in Ordnung« aus dem vorigen Kapitel so kraftvoll. Durch diese Frage verlassen wir die Zukunftsängste und kommen zurück in die Gegenwart: Ein Wesen sitzt, steht oder liegt irgendwo und atmet. »Was ist im Hier und Jetzt nicht in Ordnung?« Dies ist genau das, was Buddha macht, als er mit seiner Hand den Boden berührt. Er verankert sich über die Erde mit dem Moment und hält gleichzeitig den inneren Raum des Beobachters aufrecht, ohne auf die Impulse von Mara zu reagieren.

Die Frage »Wer spricht da gerade?« dient dazu, Mara in dir sichtbar werden zu lassen, die sich auch in Form der Sorgenstimme zeigen kann.

»Was ist das Schlimmste, das passieren kann?«

Es gibt außerdem noch eine Unterfrage, die uns dabei helfen kann, den Leidensprozess der Sorgenstimme auszuhebeln. Sie lautet: »Was ist das Schlimmste, das passieren kann?« Diesmal ziehen wir die Aufmerksamkeit nicht von der Angstfantasie ab, um sie in den Augenblick zu holen. Stattdessen gehen wir ganz gezielt hinein in die sorgenvolle Vorstellung und schauen präzise hin. Das Ego ist nämlich ein Meister der Täuschung und Verwirrung. Es wirft sehr gern Nebelgranaten in unser inneres Universum – in Form von undurchsichtigen und nebulösen Gedanken, die uns ein Gefühl vermitteln, dass irgendetwas Schlimmes passieren wird oder könnte. Der Fehler, den die meisten Menschen dann begehen, ist, sich aus lauter Angst vor diesen Gedanken wegzuducken, anstatt hinzuschauen, was es damit auf sich hat. Die Frage »Was ist das Schlimmste, das passieren kann?« ist wie ein Nebelscheinwerfer, der durch dieses schleierhafte Angstgebilde hindurch leuchtet und es als das entlarvt, was es ist: ein Hirngespinst.

Lass mich dir das an einem Beispiel zeigen: Annika hat eine kleine Firma mit drei Mitarbeiterinnen. Sie erzählt mir, dass sie immer wieder in Stress gerät, wenn sie berufliche Entscheidungen hin und her wälzt und dann die halbe Nacht wach liegt.

Wir arbeiten mit der Frage: »Was ist das Schlimmste, das passieren kann?«

Annika: »Dass ich eine falsche Entscheidung treffe.«

»Und dann? Was ist das Schlimmste, das nach dieser Entscheidung passieren kann?«

Annika: »Dass wir durch meine Entscheidung Verluste machen.«

»Und dann? Das Schlimmste?«

Annika: »Dass ich dann irgendwann Insolvenz anmelden muss.«

»Und dann? Das Schlimmste?«

Annika: »Dass ich die Mitarbeiterinnen entlassen muss.«

»Und dann? Das Schlimmste?«

Annika: »Dass sie keinen neuen Job finden.«

»Und dann? Das Schlimmste?«

Annika: »Dass sie Arbeitslosengeld beantragen müssen.«

»Und dann? Das Schlimmste?«

»Dass sie irgendwann Hartz IV beantragen müssen.«

»Und dann? Das Schlimmste?«

Annika: »Dass ich Hartz IV beantragen muss.«

»Und dann? Das Schlimmste?«

An dieser Stelle überlegt Annika länger. Sie sieht sich, wie sie als Hartz-IV-Empfängerin durch die Stadt läuft und Flaschen aus Abfalleimern herauszieht. Sie geht in ihrem Kopf die schlimmsten Situationen durch, die sie sich ausmalen kann. Schließlich schaut sie mich an und sagt mit einer großen Klarheit: »Dann wäre es halt so.«

Als Annika alle Möglichkeiten akzeptiert hat, entspannt sie sich. Der Sorgendruck fällt ab von ihr, und sie kann nun auch erkennen, dass die ganzen Gedankenfantasien völlig absurd sind. Sie sagt, dass nicht mal im Ansatz die Gefahr besteht, dass sie Insolvenz anmelden muss, aber selbst wenn es so wäre, weiß sie nun, dass sie damit umgehen kann.

Antreiber – Ermutigung

Die Geister in unseren Köpfen können uns auf ganz unterschiedliche Weise schikanieren. Einer der lautstärksten Dämonen in uns hat eine Stimme, die uns nicht zur Ruhe kommen lässt. In ihrer positiven Qualität hilft uns diese Energie, unsere Trägheit zu überwinden und uns zu motivieren, die Dinge zu tun, die uns am Herzen liegen. Dann ist es eine Stimme, die wir auch bei einem Kind oder einem guten Freund nutzen, um sie zu ermutigen, etwas zu Ende zu bringen. Wir werden sie liebevoll und unterstützend an die Hand nehmen und aufmuntern, nicht so schnell aufzugeben. Wir werden ihnen zeigen, dass Disziplin Wellness sein kann. Diese Erfahrung haben wir alle schon gemacht, wenn wir beispielsweise unseren Körper trainiert haben. Auch wenn wir irgendeine Aufgabe zu Ende führen oder etwas völlig Neues lernen, wie ein Handwerk, ein Musikinstrument, eine andere Sprache oder Meditation, bringt uns dies in einen Zustand von Freude und Erfüllung. Es ist besonders wichtig, Kindern die Erfahrung zu geben, dass sie mit ermutigender Disziplin etwas erreichen können, das sich gut anfühlt.

In seinem negativen Zustand will der Antreiber uns allerdings immer schneller immer weiter pushen, bis zu einem Punkt, an dem alle Ressourcen in uns komplett ausgeschöpft sind. Der

Antreiber ist verantwortlich für all die ausgebrannten Seelen, die in psychosomatischen Kliniken oder Rehazentren versuchen, wieder zu Kräften zu kommen. Ihm reicht es auch oft nicht aus, wenn die Dinge »einfach nur« erledigt werden. Es muss perfekt sein, damit er endlich Ruhe gibt. Er arbeitet dann sehr gern Hand in Hand mit der Sorgenstimme, und die beiden gruseln uns immer wieder mit derselben Geschichte: Wenn wir aufhören sollten, alles zu geben, dann enden wir mit einem mit unseren letzten Habseligkeiten gefüllten Einkaufswagen unter der Brücke oder werden von anderen Menschen nicht mehr geliebt. Eine weitere Methode, uns immer weiterzutreiben, sind die Schuldgefühle und das schlechte Gewissen, die der Antreiber uns einredet. Hier schleicht sich neben dem Antreiber auch der Kritiker mit ein.

Wie bei Lisa. Als sie zu mir kommt, ist sie fünfunddreißig Jahre alt und vor einigen Monaten zum zweiten Mal Mutter geworden. Sie ist hin- und hergerissen, ob sie ihren Job als Sachbearbeiterin nach der Elternzeit wiederaufnehmen soll. Eigentlich würde sie lieber länger Zeit mit ihren Kindern verbringen, was ihr Mann auch unterstützen würde. Während unseres Gesprächs höre ich allerdings ständig eine Stimme aus ihr herausrufen, die sagt, dass sie faul sei und endlich den Hintern wieder hochkriegen soll. Als ich Lisa frage, ob sie liebevoll akzeptieren kann, dass sie den Hintern zurzeit nicht hochbekommen möchte, antwortet sie trotzig: »Nein!« Daraufhin frage ich: »Wer spricht da gerade?« Sie blickt mich halb verwundert und halb geschockt an. Einen Moment später erkennt sie die Stimme des Antreibers, die ihr bereits seit Monaten ins Ohr schreit und sie immer tiefer in ein Gefühl von Schuld und Minderwert getrieben hat. Als ihr das klar wird und sie nun mehr Abstand zu diesem Dämon bekommt, hat sie die Freiheit, ihrem Herzen zu folgen, noch weitere Zeit zu Hause zu bleiben und dann zu schauen, wohin sie sich beruflich neu ausrichten möchte.

Kritiker – Klarheit

Dies kann die gewalttätigste Stimme in unserem inneren Universum sein. Allerdings hat auch sie eine positive Seite. Dann nämlich, wenn sie mit Klarheit Dinge anspricht und Wahrheiten aufzeigt, die ansonsten unter dem Teppich verborgen bleiben und nicht gehört werden wollen. Wenn wir diese Stimme bewusst und mit Mitgefühl einsetzen, ist sie ein großes Geschenk. Sie wird dann mutig das Leiden benennen, vor dem wir selbst und die Gesellschaft ansonsten die Augen verschließen. Die positive Kraft dieser Stimme taucht auf, wenn wir uns endlich eingestehen, dass wir Dinge über einen langen Zeitraum nicht sehen wollten und verleugnet haben. Wir können sie in den Schüler*innen erkennen, die auf die Straße gehen, um uns das jahrzehntelange Versagen in der Klimapolitik zu veranschaulichen, oder wenn Frauen sagen, dass sie genug haben von jahrzehntelangem Sexismus. Wenn Menschen die Stärke dieser Stimme in sich finden, dann stehen sie auf und sprechen das Leiden an, das sie oder andere erdulden müssen, weil sie misshandelt, missbraucht oder ausgebeutet werden.

Doch diese Stimme hat eben auch eine sehr dunkle Schattenseite. In seinem negativen Zustand schlägt der Kritiker mit seinen Bewertungen und Verurteilungen gnadenlos zu. Dabei ist es letztendlich egal, ob er auf uns selbst oder auf andere einprügelt. Die zerstörerische Energie ist dabei immer dieselbe. Der Lautsprecher ohne Mitgefühl dreht sich manchmal einwärts zu uns, und bei der nächsten Gelegenheit schimpft und lästert er nach außen über andere Personen, Meinungen oder Dinge.

Die negative Kritikerstimme haben wir aus zwei Gründen entwickelt. Nach innen gerichtet dient sie uns als Prophylaxe, um die möglichen Anfeindungen von außen schon mal vorwegzunehmen: »Ich kritisiere mich vorsichtshalber selbst, bevor es jemand anderes tut.« Nach außen gerichtet dient sie uns entweder zur Verteidigung oder um uns zu erhöhen, damit wir uns anderen gegenüber überlegen fühlen. Das Ego fühlt sich im Größenwahn immer besser als im Minderwert. Deswegen erleben Menschen mit einer besonders präsenten Kritikerstimme sehr oft einen Jo-Jo-Effekt. Sie wechseln ständig hin und her zwischen Selbstkritik und der Beurteilung oder Verurteilung anderer.

Schaffen wir es nicht, einen Abstand zu diesem negativen Kritiker herzustellen, dann ist bitteres Leiden für uns oder andere vorprogrammiert. Dazu passt das Beispiel von Hafida. Sie ist achtunddreißig Jahre alt und stammt ursprünglich aus Marokko. Bereits als Baby wurde sie von ihren weißen Adoptiveltern nach Deutschland geholt. Rassismuserfahrungen im Alltag kennt sie seit ihrer Kindheit. Es kann ihr heute noch passieren, dass ihr fremde Menschen einfach in die Haare greifen, sie im Zug als Einzige nach ihrem Ausweis gefragt wird oder jemand ihr auf der Straße »Scheißausländer!« hinterherzischt. Durch diese Erfahrungen von äußerer Kritik hat Hafida einen starken inneren Kritiker entwickelt, der ihr ständig sagt, dass sie nicht dazugehöre und nicht gut genug sei. Sie war noch nie auf einer Anti-Rassismus-Demo, weil es ihr unangenehm ist, wenn sich jemand anderes für sie einsetzt. Denn sie glaubt, es nicht verdient zu haben.

Erst als sie beginnt, mit der Frage »Wer spricht da gerade?« zu arbeiten, bekommt sie nach und nach mehr Abstand zu dem inneren Dämon. Hafida übt nun in ihrem Alltag, die Stimme des Kritikers immer wieder zu erkennen und zu entlarven. Durch dieses Training der inneren Beobachtung gelingt es ihr, immer schneller wahrzunehmen, wenn die Stimme auftaucht. Irgendwann geht sie schließlich auf ihre erste Anti-Rassismus-Demo. Sie nimmt zwar den Kritiker im Hintergrund immer noch wahr, der ihr sagt, dass sie es nicht verdient habe, aber sie richtet den größeren Teil ihrer Aufmerksamkeit auf all die Menschen, die mit ihr auf der Demonstration sind und ihr dadurch genau das Gegenteil mitteilen. Mit der Zeit bekommt sie immer mehr Abstand zu dem Kritiker und kann sogar ab und zu über ihn lachen, wenn er wieder einmal auftaucht.

Anspruch – Freude

Die Kraft dieser Stimme und das Leiden, das sie erzeugen kann, wird oft unterschätzt. Im Vergleich zu der gewalttätigen Stimme des Kritikers wirkt sie mit ihrem Klagen und Nörgeln geradezu harmlos. Doch wie bei einem Tinnitus kann durch ihre konstante Anwesenheit viel Schmerz verursacht werden – bei uns selbst, aber vor allem auch bei anderen. Denn der Anspruch ist immer auf das Außen gerichtet. Es ist die Aufforderung an andere Menschen oder das Leben, unsere Bedürfnisse zu befriedigen. In ihrer positiven Kraft lässt uns diese Stimme die Schönheiten des Lebens genießen. Sie will, dass wir unserem Herzen folgen und die Dinge tun, die uns Freude bereiten. Mit ihr leben wir unser Leben unbeschwert und mit Leichtigkeit und folgen dem, was sich gut und richtig anfühlt.

Auf der negativen Seite ist diese Stimme bedürftig, gierig und skrupellos. Damit geht einher, dass sie entweder ununterbrochen quengelt und sich beschwert oder herrschsüchtig wird. Die Anspruchsstimme ist neben dem Antreiber eine weitere Stimme, die nie zur Ruhe kommt. Es reicht einfach nie. Haben wir etwas bekommen oder erreicht, dann muss schon das Nächste her. Sie schreit immer nach mehr: Nähe, Anerkennung, Karriere, Geld, Sex, Drogen, Macht, Besitz ... Konsum und ständiges Wachstum werden hier großgeschrieben. Geben wir der Anspruchsstimme viel Raum, dann können wir so anmaßend werden, dass wir die Grenzen anderer Menschen nicht mehr respektieren. Wir fordern und fordern.

In ihrer extremen Ausprägung zeigt sie sich bei Personen, die stehlen, betrügen, sexuell übergriffig werden oder süchtig sind. Sie manifestiert sich auch bei autoritären Führern, die wir weltweit beobachten können und die der Meinung sind, dass sie es verdient hätten, dort zu sitzen, wo sie die Geschicke der Menschheit maßgeblich mitbestimmen können, auch wenn sie nicht demokratisch legitimiert wurden. Die Sätze dieser Stimme sind: »Ich brauche das! Ich habe das Recht! Es steht mir zu!« Ist ein Mensch sehr stark identifiziert mit ihr, dann ist er ganz selbstverständlich davon überzeugt, dass seine Ansprüche erfüllt werden müssen. Dankbarkeit für das, was bereits da ist, ist nicht vorhanden. Mäßigung oder gar Verzicht sind unverständliche, widersinnige Aufforderungen, die nur als Verbote und bloße Schikane empfunden werden. Wenn die Wünsche der Anspruchsstimme nicht erfüllt werden, dann ist dies gemein, unfair, eine Zumutung, und diejenigen, die sie daran hindern, das zu bekommen, was sie will, werden gern zu Feinden erklärt.

Deine Praxis

Auch hier möchte ich dir wieder einige praktische Anregungen für deinen Alltag geben.

- Diese generelle Regel ist sehr hilfreich: Vertraue erst mal keiner Stimme in deinem Kopf, die einen Zustand von Angst, Ärger oder Bedürftigkeit auslöst. Mit der Frage »Wer spricht da gerade?« entblößt du die Dämonen, die sich in deinem

Verstand breitmachen, und schaffst immer mehr Abstand zu diesen Geistern.

- Duck dich nicht weg, wenn eine Stimme auftaucht, die eine starke Emotion auslöst. Stattdessen erinnere dich an Jesus oder Buddha und halte einen weiten stillen Raum aufrecht, in dem die Stimme sich austobt, ohne dass du auf sie reagierst.
- Ignoriere die Stimme und füttere sie nicht mit deiner Aufmerksamkeit. Erinnere dich an Gandalfs »You shall not pass«.
- Lade hilfreiche Energien ein. In der buddhistischen Lehre besteht eine wichtige Praxis darin, sich auf heilsame Kräfte zu fokussieren, um den Dämonen etwas entgegenzusetzen, beispielsweise auf Mitgefühl, Dankbarkeit und Freude.
- Es braucht Disziplin und Training, damit du mit deiner Aufmerksamkeit nicht andauernd jedem Gedanken hinterherspringst, den der Verstand in dein Wahrnehmungsfeld entlässt. Aber damit ist keine Disziplin gemeint, bei der du auf dich einprügelst und dich quälst. Diese Disziplin hier ist Wellness. Stell dir vor, dass du dich über viele Stunden hinweg in einer sehr lauten Umgebung aufhältst. Vielleicht verbringst du einen Samstag im Zentrum einer großen Stadt, um einzukaufen, und kommst mit dem Zug am vollen Hauptbahnhof an, wo sich bereits Massen von Menschen durch die Hallen drängeln. Oder du gehst einen ganzen Tag lang auf ein Musikfestival und hörst dir dort mehrere Konzerte an. Wenn du nach einem solchen Tag, umgeben von vielen Menschen und einer ständigen Geräuschkulisse, nach Hause kommst und die Tür schließt, dann ist die Stille, die du jetzt vorfindest, ein richtiger Genuss. Genauso ist es, wenn du die Tür zumachst und den Verstand mal draußen lässt. Die Disziplin, nicht zu denken, schenkt dir ein Wohlbefinden, das sich nicht mit Worten beschreiben lässt.

- Beim Umgang mit den vier unterschiedlichen Stimmen, die ich dir vorgestellt habe, kannst du auch jeweils unterschiedlich vorgehen:
  - Wenn die Sorgenstimme auftaucht, verankere dich im Hier und Jetzt.
  - Nutze bei der Antreiberstimme die Frage: »Was ist das Schlimmste, das passieren kann?«
  - Schaffe Abstand zur Kritikerstimme und übe mit der Frage: »Habe ich Mitgefühl?«
  - Trainiere dich in Akzeptanz, Bescheidenheit und Demut, wenn die Anspruchsstimme auftaucht. Bleibe in der stillen Beobachtung, während der Sturm der Begierde durchzieht, ohne darauf zu reagieren.

Sechste Frage: »In welchem Raum befinde ich mich?«

Die Frage nach dem inneren Zustand:
Kontrolle, Minderwert, Hybris ...
Finde: Klarheit.

Schaffen wir es nicht, einen Abstand zu den vier inneren Stimmen herzustellen, wird uns ihre Gravitationskraft zwangsläufig in einen sehr schmerzvollen emotionalen Zustand hineinziehen. Insgesamt gibt es zehn mögliche Zustände, in die wir hineingeraten können, wenn wir den Stimmen folgen. Um diese zehn Leidenszustände besser zu verdeutlichen, können wir uns folgendes Bild vorstellen: In der unendlichen Weite unseres inneren Universums steht ein großes Haus. Wir nennen es das Ego-Haus. In diesem Haus gibt es zehn Räume, die wir betreten können. In jedem dieser Zimmer wohnt ein schmerzhafter Bewusstseinszustand. Ein Raum wird zum Beispiel vom Minderwert bewohnt, ein weiterer von der Schuld, der nächste von der Kontrolle und so weiter. Durch die vier Stimmen (Sorge, Kritiker, Antreiber,

Anspruch) werden wir in das Haus und dann weiter in die Zimmer gelockt. Je größer die Masse/Energie der Stimme ist, die uns anzieht (das heißt, je mehr wir dieser Stimme glauben), umso tiefer werden wir in einen der zehn Räume hineingezogen oder sogar hineinkatapultiert.

Die Räume des Bewusstseins

Jedes dieser Zimmer hat seine ganz eigene bedrückende und schmerzhafte Atmosphäre. Je tiefer es die Stimme geschafft hat, uns hineinzulocken, umso stärker werden wir die Atmosphäre und die Emotionen, die hier vorherrschen, erleben. In dem Beispiel von Hafida, die glaubte, es nicht verdient zu haben, dass man für sie demonstriert, war es der Minderwert-Raum, in den sie gelangte, nachdem sie der Anziehungskraft der Kritikerstimme gefolgt war. Ihre Aufmerksamkeit hatte sich von einem Gedanken anziehen lassen, der die Information »Ich bin nicht gut genug« in sich trug. Als sie dieser Stimme folgte, verließ sie die Weite ihres Universums, begab sich in dieses Leidenshaus und in den sehr engen, klaustrophobischen Raum des Minderwerts.

Es sind immer unsere Gedanken, die bestimmen, in welches der zehn Zimmer wir gehen, und es sind die vier Stimmen – Sorge, Kritiker, Antreiber, Anspruch –, die alle leidvollen Gedanken mit sich tragen. Haben wir einmal die Schwelle eines Raums überschritten und seine Luft eingeatmet, sind wir derartig benebelt, dass wir mit der Perspektive des Zimmers verschmelzen. Nun haben wir eine Ego-Identifikation eingenommen und sind davon überzeugt, dass diese Perspektive die Wahrheit ist.

Die Räume sind keine Persönlichkeitsmerkmale, die manche Menschen haben und andere nicht. Wir kennen alle jedes dieser

Zimmer. Manche von ihnen betreten wir allerdings öfter als andere. Halten wir uns sehr lange in einem Raum auf oder betreten ihn immer wieder, werden dieses Zimmer und sein Blickwinkel zu unserem inneren Muster, sodass wir uns und die Welt hauptsächlich aus diesem Nebel heraus wahrnehmen und dementsprechend in unserem Leben handeln.

Im Folgenden wirst du in einem kurzen Abriss die zehn Räume kennenlernen. Eine ausführlichere Beschreibung dieser Bewusstseinsräume findet sich in meinem Buch *Du bist nicht, was du denkst.* Ich möchte dich anregen, mit dem Ego-Haus und seinen Räumen ähnlich wie mit den Stimmen zu praktizieren: Wir müssen sie zuerst wahrnehmen, bevor wir Distanz zu ihnen schaffen können. Je schneller wir in der Lage sind, den Raum zu erkennen, in dem wir sind, desto eher können wir Abstand finden und ihn wieder verlassen.

Wäre es aber nicht einfacher, sich nur auf die vier Stimmen zu konzentrieren, die uns in einen Leidensraum lotsen wollen? Denn dann bräuchten wir nicht noch zusätzlich die Räume im Blick zu haben? Das ist richtig. Weil wir es aber sehr oft verpassen, die Stimme rechtzeitig wahrzunehmen – besonders wenn wir anfangen zu üben –, kann es sein, dass wir uns plötzlich mitten in einem dieser Räume wiederfinden. Es ist also wichtig, so viel wie möglich über diese inneren Zustände zu wissen, um schneller einen Abstand herstellen zu können. Genau deswegen arbeiten wir in diesem Kapitel mit der Frage: »In welchem Raum befinde ich mich?«

Wir können das Ego-Haus mit den zehn Räumen in zwei Etagen unterteilen: Fünf Zimmer befinden sich im Obergeschoss und fünf Räume im Erdgeschoss. Das untere Geschoss möchten die meisten Menschen auf keinen Fall betreten. Darum versuchen wir uns alle in der oberen Etage zu tummeln, da wir die

Räume hier als weniger unangenehm erleben. Dennoch sind auch die fünf Zimmer im Obergeschoss Räume des Leidens. Unser Ziel sollte sein, das Haus komplett zu verlassen. Denn wirkliche Freiheit und Frieden können wir nur draußen finden.

Zehn Leidensräume auf zwei Etagen

Kontrolle,
Widerstand,
Hybris, Gier, Verleugnung

Minderwert, Bedürftigkeit,
Schuld, Verwirrung, Ohnmacht

Wir beginnen mit unserem Gang durch das Ego-Haus bei den fünf Räumen im Obergeschoss, die wir oftmals bei vollem Bewusstsein und absichtlich betreten. Dann steigen wir in die tieferen Abgründe des Untergeschosses hinab, das wir in der Regel sehr fürchten.

Der Kontroll-Raum

Dieser Raum ist die Lobby im Ego-Haus. Denn hier spazieren alle Menschen jeden Tag hindurch. Wir üben schließlich ständig Kontrolle aus. Zu kontrollieren bedeutet nicht automatisch, dass wir leiden oder uns im Ego-Haus befinden. Während ich zum Beispiel hier schreibe, übe ich Kontrolle darüber aus, wie meine Finger über die Tastatur gleiten. Wir kontrollieren auch in dem Moment, wenn wir die Aufmerksamkeit von einer inneren Stimme abziehen, die uns Leiden bringt. Kontrolle hat also sehr viele positive Aspekte. Unsere Fähigkeit zu kontrollieren erlaubt uns, die Dinge im Leben zu erreichen, die wir uns wünschen und die heilsam sind. Dies ist auch der Grund, warum die meisten Menschen unmittelbar in diesen Modus wechseln, wenn sie morgens aufwachen. Kontrolle ist also etwas Wundervolles, solange wir sie aus einer inneren Unabhängigkeit und Liebe heraus betreiben. Wieder sind es die Emotionen, die uns als Barometer dafür dienen, ob wir gerade aus einer Freiheit heraus handeln oder nicht. Denn sobald wir aus einem Zustand von Angst, Ärger, Bedürftigkeit oder Gier kontrollieren, haben wir das Ego-Haus betreten.

Sind wir im Kontroll-Raum gelandet, bringen wir Leiden in unser Leben und oft genug auch in das Leben der Menschen, mit denen wir interagieren. Denn machen wir die Dinge nicht aus einer inneren Freiheit heraus, dann bekommt unsere Kontrolle sehr schnell etwas Zwanghaftes. Im Kontroll-Raum ist die Aufmerksamkeit immer auf die Zukunft ausgerichtet. In der Regel werden wir von der Sorgen- und Antreiberstimme hier hereingezogen, die uns keinen Augenblick Ruhe schenken und uns vielfach auch nachts den Schlaf rauben. In diesem Raum herrscht Angst, dass irgendetwas Schlimmes passieren könnte, sobald wir die Kontrolle abgeben. Dann könnten wir in das untere Geschoss abrutschen und in jenen Räumen landen, die wir als noch schmerzhafter empfinden. Sollten wir aufhören zu kontrollieren, so unsere Furcht, dann könnten wir zum Beispiel einen Fehler machen und uns dann schuldig oder minderwertig fühlen. Außerdem haben wir Angst davor, dass wir finanzielle Schwierigkeiten bekommen, bedürftig werden oder – noch schlimmer – die Macht und die Führung über unser Leben komplett verlieren. Diese emotionalen Zustände gilt es im Kontroll-Raum um jeden Preis zu vermeiden. Darum reißen wir uns in diesem Zustand immer sehr zusammen und machen uns innerlich hart. Der Gedanke, der hier vorherrscht, lautet: »Ich muss!«

Oft genug reicht es uns nicht, nur uns selbst zu kontrollieren. Unsere Ängste erweitern wir auch auf andere Menschen – vorzugsweise auf unsere Kinder, Partner oder Mitarbeiter – und können dadurch deren Leben ebenfalls sehr mühselig machen.

Der Kontrollwahn kann sich allerdings auch auf ganze Bevölkerungsgruppen ausdehnen. Dies ist in zahlreichen autoritären Staaten weltweit zu beobachten. In Ländern wie China, Russland oder der Türkei werden seit Jahren die Gesetze immer repressiver, und die Bevölkerung hat kaum noch die Möglichkeit zu demonstrieren, Meinungen frei zu äußern oder unabhängige Parteien zu gründen. Auch in der EU gibt es immer mehr Staaten, die die Selbstbestimmung ihrer Bürger*innen weiter einschränken. Ungarn hat 2021 ein Gesetz verabschiedet, das Kindern und Jugendlichen den freien Zugang zu Informationen über Homo- oder Transsexualität verbietet. Vorbild dieses Gesetzes ist Russland, das schon 2013 ein ähnliches Gesetz verabschiedet hat, um dadurch sogenannte homosexuelle Propaganda zu untersagen.[29] Ob individuelle oder kollektive Kontrolle: Dieser Raum ist immer geprägt von sehr großer Angst und nie von innerer Freiheit.

Übung

Vertrauen

Um den Kontroll-Raum zu verlassen – sei es als Einzelner oder als Gruppe (oder Staat) –, musst du lernen zu vertrauen und loszulassen. Es ist wichtig zu erkennen, dass du in diesem Zustand der Sorge und Angst auf Dauer nicht glücklich werden kannst. Du glaubst, dass du durch deine Kontrolle Leiden vermeidest, und bringst stattdessen nur noch mehr Schmerz in dein Leben und das Leben anderer Menschen. Du solltest in diesem Raum auch mit der Unterfrage arbeiten, die wir bei der Sorgenstimme im Kapitel über die fünfte Frage bereits kennengelernt haben: »Was ist das Schlimmste, das passieren kann?«

Zu vertrauen, sich hinzugeben, loszulassen und zu erlauben sind die Energien, die du einladen solltest, wenn du dich häufig in diesem Ego-Zustand befindest.

Widerstand

Der Raum des Widerstands liegt ebenfalls im Obergeschoss und zählt somit zu den Räumen, die wir ganz bewusst betreten, weil wir uns davon etwas versprechen. Im Widerstand erhoffen wir uns vor allem Schutz, Sicherheit und dass wir in Ruhe gelassen werden. Hier ist alles auf Abwehr eingestellt. Wir gehen in den Verteidigungsmodus und ziehen innerlich Wände hoch, weil wir erwarten oder befürchten, dass irgendjemand etwas von uns will, das wir nicht leisten möchten.

In diesen Raum werden wir in der Regel ebenfalls von der Sorgenstimme gezogen, die uns erzählt, was alles passieren wird, wenn wir nicht ganz genau aufpassen, uns abgrenzen, wehren oder zurückschlagen. Doch auch die Kritikerstimme, die nach außen schlägt und sich über andere aufregt, ist hier beheimatet. Die Gedanken, die häufig auftauchen, sind: »Ich will das nicht. Lasst mich in Ruhe. Das ist mir zu viel.«

Auch diesen Zustand betreten wir, weil wir Angst davor haben, im unteren Geschoss zu landen – vorzugsweise im Raum der Ohnmacht oder der Bedürftigkeit. Die Schutzmaßnahmen, die wir in diesem Zimmer auffahren, können breit gefächert sein. Manche Menschen gehen in einen U-Boot-Modus, schweigen und reagieren gar nicht mehr, wenn man sie anspricht. Andere werden laut oder sogar körperlich gewalttätig, weil sie sich nicht anders zu wehren wissen.

Übung

Gleichmut und Sanftheit

Aus irgendeinem Grund bist du in diesem Raum der Ansicht, dass du innerlich eine Burgbefestigung errichten musst, um dich zu verteidigen oder um zu bekommen, was du dir wünschst. Den Raum des Widerstands verlässt du, indem du begreifst, dass es nicht nötig ist, einen kalten oder heißen Krieg anzuzetteln, um deine Wahrheit zu leben. Niemand kann dich zu etwas zwingen. Du hast immer die Möglichkeit, mit Gleichmut und Sanftheit »Danke, dass du fragst, und nein!« zu sagen, ohne direkt in einen Kampfmodus zu wechseln und dein Gegenüber zum Feind zu erklären.

Der Hybris-Raum

Das Wort »Hybris« stammt aus dem Altgriechischen und bedeutet so viel wie »Anmaßung«. Eine Person, die sich im Hybriszustand befindet, versucht sich den Göttern gleichzustellen. Ein bekanntes Beispiel in der griechischen Mythologie ist die Figur des Tantalus, der die Götter bestahl und sie auf die Probe stellen wollte. Er wurde daraufhin in den Hades (das Totenreich) verstoßen, wo er für seine Anmaßungen fürchterliche körperliche Schmerzen erdulden musste. Bis heute spricht man noch von Tantalusqualen, wenn jemand besonders großes Leid erlebt.

In diesem Zustand der Überheblichkeit fühlen wir uns besser als alle anderen. Wir sind davon überzeugt, dass wir recht haben, halten uns für klüger und gehen deswegen auch ganz selbstverständlich davon aus, dass andere uns zu Diensten sein müssen oder wir ihnen gegenüber Macht ausüben dürfen. Wir werden in diesem Raum versuchen, unsere Interessen durchzusetzen, und dies oft mit allen Mitteln. Verschiedene Stimmen können uns in diesen Zustand lotsen: Die Anspruchsstimme will Macht haben, die Sorgenstimme fürchtet sich davor, ihre Macht abzugeben, und die Kritikerstimme wertet andere ab, weil sie der Meinung ist, dass alle unfähig seien.

Manche Menschen glauben nicht, dass sie sich im Hybris-Raum befinden, weil sie andere nicht lautstark abwerten. Doch es ist auch Hybris, wenn wir schweigend durch die Gegend laufen und ständig in Gedanken andere be- und verurteilen.

Menschen, die sich in diesem Raum befinden, bekleiden sehr oft Machtpositionen. Das liegt daran, dass sie mit enorm viel Selbstbewusstsein auftreten können und ihnen dadurch direkt Qualifikation, Wissen und Talent zugeschrieben wird. Allerdings müssen Selbstbewusstsein und Kompetenz nicht zwangsläufig Hand in Hand gehen. Das fällt uns jedoch meistens erst dann auf, wenn die Person bereits einen großen Schaden angerichtet hat. Dies kann zum Beispiel der Fall sein, wenn ein Chef aus dem Hybris-Raum heraus mit rücksichtslosen Entscheidungen dem Unternehmen finanziell geschadet hat oder schikanierte Untergebene beginnen sich aufzulehnen.

Der Hybris-Raum fühlt sich für die Person, die ihn betritt, nicht wie ein Zustand an, in dem sie leidet. So wie im Kontroll- oder

Widerstands-Raum ist die innere Not auch hier nicht auf den ersten Blick ersichtlich. Manchmal werde ich auch gefragt, worin der Unterschied zwischen Hybris und einem gesunden Selbstbewusstsein liegt. Die Antwort ist wieder in den Emotionen zu finden. Wenn wir aus einer inneren Klarheit und Liebe heraus handeln, dann müssen wir niemanden abwerten oder uns über andere Menschen erheben. Wir sind in Frieden mit uns und der Welt. Doch eine Person im Hybris-Raum ist sehr einsam, weil sie durch ihre Überheblichkeit die Verbindung zu den meisten anderen Menschen verliert. Außerdem wird dieser Raum immer aus Furcht betreten. Es ist kein Akt der Liebe oder der Freiheit, in dem jemand diesen Zustand wählt. Es ist die Angst davor, im Minderwert-, Bedürftigkeits- oder Ohnmachts-Raum zu landen. Aus ihr heraus schwingt sich jemand deshalb in den Größenwahn auf, weil er glaubt, hier vor den schmerzhaften Emotionen des unteren Geschosses sicher zu sein.

Übung

Demut und Feedback

Wenn du bereits die Erfahrung gemacht hast, dass du immer mal wieder im Hybris-Raum unterwegs bist, solltest du dich in Demut üben und besonders die Kritiker- und die Anspruchsstimme im Blick behalten, die dich dazu verführen, Macht auszuüben oder recht haben zu wollen. Außerdem ist es sehr hilfreich, dein Umfeld immer wieder um Feedback zu bitten. Allerdings solltest du darauf achten, dir nicht von jenen Menschen eine Rückmeldung zu holen, die Angst vor dir haben oder dir schmeicheln wollen.

Der Raum der Gier

In diesen Zustand werden wir durch die Anspruchsstimme hineingezogen. Im Raum der Gier möchten wir einen Rausch erleben – sei es durch Essen, Trinken, Sex, Shoppen oder Drogen. Auch alle Süchte, die nicht an einer Substanz hängen, wie Glücksspiel, Gaming, Internet oder Arbeit, finden hier ihr Zuhause. In diesem Zimmer gibt es häufig keine Skrupel, weil die Person im Tunnelblick der Sucht festhängt und davon überzeugt ist, unbedingt haben zu müssen, wonach sie sich gerade sehnt. Das kann auch die Gier nach immer mehr Geld betreffen. Der bereits erwähnte Diebstahl an den Steuerzahler*innen durch die CumEx-Affäre ist ein Beispiel dafür, oder auch die Milliarden von Dollars und Euros, die jedes Jahr in Steueroasen verschwinden.

Befinden wir uns im Gier-Raum, dann ist uns egal, wer die Kosten für unseren Trip zahlen muss. Unsere Gier kann zulasten der Umwelt und des Tierschutzes gehen oder zur Ausbeutung von Menschen führen, die für ihre Arbeit nicht angemessen oder gar nicht bezahlt werden. Der Ego-Kapitalismus findet in diesem Raum seine wahre Heimat. In einer weiteren extremen Ausformung können wir in diesem Zustand sexuell übergriffig werden, weil wir nur an unsere Befriedigung denken. Wir schrecken dann auch nicht davor zurück, uns mit Gewalt zu nehmen, was wir haben wollen, sei es von Erwachsenen oder von kleinen Kindern.

Oft sind wir deswegen gierig, weil wir der allgemeinen Überzeugung folgen, dass mehr Besitz zwangsläufig mehr Glück bedeutet. Doch die Glücksforschung hat herausgefunden, dass wir nicht zufriedener werden, bloß weil wir ein großes Vermögen besitzen. Um glücklich zu sein, benötigen wir zwar ausreichend Geld dafür, unsere Grundbedürfnisse zu befriedigen, doch nachdem diese gestillt sind, hat Besitz keinen großen Einfluss mehr auf unser Gefühl von Glück. Der Sänger Sting, der sechs Kinder hat und schätzungsweise ein Vermögen von 200 Millionen Euro besitzt, hat darum vor einigen Jahren verkündet, dass er seinen Kindern nicht viel von seinem Geld vererben wird, denn er möchte nicht, »dass dieser Besitz wie ein Amboss um ihre Hälse hängt«.[30]

Übung

Liebevolle Beobachtung und Nachhaltigkeit

Um diesen Raum zu verlassen, ist es notwendig, dass du nicht sofort jedem Impuls der Lust folgst, der auftaucht, sondern das Gefühl erst einmal in der Weite des inneren Beobachters, der inneren Beobachterin hältst. Dabei geht es nie um Askese oder Verbote, wenn wir mit unseren Begierden arbeiten. Du musst nur innerlich zuerst das Tempo rausnehmen und dir sehr klar darüber sein, ob du mit deinen Handlungen Leiden für dich und andere erzeugst oder Freude und Genuss. Dein inneres Commitment sollte sein, dass du durch deine Aktionen keinen Schmerz kreieren willst, weder für dich noch für deine Umwelt. Manchmal sagen mir Menschen: »Aber in dem Moment, wo ich meiner Begierde folge, empfinde ich ja Genuss.« Darum solltest du dir in diesem Raum noch die zusätzliche Frage stellen:

> »Ist das, was ich gerade tue,
> *nachhaltig* gut für mich und andere?«

Vielleicht fühlt es sich jetzt gut an, eine ganze Flasche Wein zu trinken. Doch wie nachhaltig ist dieses Gefühl? Fühlt es sich morgen immer noch gut an, wenn du mit einem Kater aufwachst?

Der Raum der Verleugnung

Dies ist der fünfte und letzte Raum im Obergeschoss des Ego-Hauses. In diesem Zustand möchten wir die Realität nicht wahrhaben oder fürchten uns davor, dass andere etwas in uns erkennen, das wir nicht zeigen möchten. Betreten wir den Raum der Verleugnung, können wir die Wahrheit nicht sehen oder werden sie nicht sagen. Wir spielen Tatsachen herunter und versuchen, andere zu manipulieren, damit sie unsere Geschichten glauben. Die Sorgenstimme leitet uns in diesen Raum hinein. Hier haben wir große Angst davor, dass wir etwas verlieren, bestraft werden oder keine Anerkennung mehr erhalten, wenn die Wahrheit ans Licht kommt.

Die Liste der Gründe, warum wir lügen und vertuschen, ist lang: weil wir fremdgegangen sind; eine Straftat begangen haben; um eine Abhängigkeit zu verstecken; weil unser familiärer Hintergrund uns peinlich ist; weil wir nicht den beruflichen Erfolg haben, den wir uns wünschen; wir finanziell bankrott sind; weil es bequemer ist, einfach so weiterzumachen, und so weiter. Dies ist auch der Raum, aus dem heraus wir unseren Lebenslauf aufhübschen, eine Doktorarbeit kaufen oder plagiieren und falsche Geschichten auf unserer Social-Media-Seite posten. Das Selbstbild, das wir der Welt präsentieren wollen, versuchen wir mit allen Mitteln aufrechtzuerhalten – was natürlich sehr anstrengend ist. Den Raum der Verleugnung betreten wir, weil wir Angst davor haben, in das untere Geschoss abzustürzen, wo wir uns dann schuldig, minderwertig oder ohnmächtig fühlen würden. Je tiefer wir in diesen Raum hineinrutschen, desto fantastischer werden unsere Erzählungen.

Eine besonders problematische Form der Verleugnung tritt dann ein, wenn wir von unseren Geschichten selbst zu 100 Prozent überzeugt sind, obwohl sie nicht stimmen. Vor allem unser unmittelbares Umfeld kann darunter sehr leiden, wenn wir uns in eine bestimmte Weltanschauung versteigen und Tatsachen einfach nicht sehen wollen oder können. Ein Freund von mir war überzeugt (und verängstigt) von der Idee, dass die Kondensstreifen, die Flugzeuge am Himmel hinterlassen, giftige chemische Stoffe beinhalten, die von den Regierungen heimlich in die Atmosphäre eingebracht werden. Anhänger der Verschwörungsidee dieser sogenannten Chemtrails gibt es bereits seit den Neunzigerjahren.[31] Nur durch die jahrelange geduldige und mitfühlende Überzeugungsarbeit von seiner Familie und dem Freundeskreis konnte sich mein Freund sehr langsam aus dem Raum der Verleugnung wieder heraus befreien.

Häufig bezieht sich unsere Verleugnung nicht auf uns selbst, sondern wir möchten die Realität über eine Person, die uns nahesteht, einfach nicht erkennen. Wir verschließen dann die Augen davor, dass ein Familienmitglied oder jemand aus dem Freundeskreis in eine Abhängigkeit gerutscht ist, eine psychische Krankheit entwickelt hat oder uns immer wieder anlügt und betrügt. Vielleicht wollen wir uns auch nicht eingestehen, dass unser Partner verbal und/oder körperlich gewalttätig ist. Immer wieder hören wir von Fällen, bei denen Menschen häusliche Gewalt über Jahre ertragen haben und dennoch schweigend in der Situation geblieben sind. Selbst wenn sie den Schritt machen und den Partner endlich verlassen, gehen sie nicht selten wieder zu ihm zurück.

Besonders erschütternd sind Vorfälle, bei denen Kinder sehr lange misshandelt oder missbraucht wurden. Hier haben Familienmitglieder, Nachbarn und manches Mal auch Kitas, Schulen und Behörden nicht hingeschaut und sind gemeinsam in den Raum der Verleugnung gewechselt.

In der Regel sprechen wir Dinge nicht an und stellen keine Fragen, weil wir Angst davor haben, was dann passieren wird. Wir befürchten, von den beteiligten Personen nicht mehr geliebt zu werden oder dass unser Leben sich radikal verändern könnte. Der Raum der Verleugnung ist unsere Kontrolle vor der unbekannten Zukunft, die uns ängstigt, und darum krallen wir uns in diesem Zimmer im Obergeschoss krampfhaft fest. Arbeiten wir zum Beispiel für eine Firma, die mitverantwortlich für die Ausbeutung von Menschen, Tieren oder die Zerstörung der Umwelt ist, dann fürchten wir vielleicht um unseren Job, wenn wir diese unangenehme Wahrheit ansprechen. Doch wie bei fast allen Ängsten, sind auch diese hier meistens keine guten Ratgeber. Denn der Schritt heraus aus dem Raum der Verleugnung ist in der Regel ein Befreiungsschlag, der uns immer eine große Erleichterung verschafft und in eine selbstbestimmte und wahrhaftigere Zukunft führt.

Kollektive Verleugnung

Der Raum der Verleugnung kann auch eine ganze Bevölkerungsgruppe gleichzeitig aufnehmen. Die Gründe für die kollektive Verleugnung sind dabei sehr ähnlich wie bei der individuellen: Die Gruppe will sich nicht schuldig fühlen; es wäre unbequem hinzuschauen; es würde das Selbstbild stören, das man der Welt präsentieren möchte; oder Menschen, Industrie und Politik profitieren in irgendeiner Form davon, nicht hinzugucken.

Jahrzehntelang haben wir zum Beispiel kollektiv verleugnet, dass der Konsum von Tabak tödliche Folgen haben kann. Eine breite Masse der Gesellschaft wollte schlichtweg nicht anerkennen, was wissenschaftlich erwiesen war. Nach wie vor sterben laut der WHO jährlich acht Millionen Menschen an den Folgen des

Tabakkonsums.[32] Ein anderes Beispiel von kollektivem Wegschauen ist das nicht vorhandene Tempolimit auf deutschen Straßen. Obwohl eine fehlende Geschwindigkeitsbegrenzung nachweislich zu mehr Todesopfern führt und das Klima schädigt, wurde dies ebenfalls über Jahre von der Gesellschaft ausgeblendet.[33]

Doch die wahrscheinlich weltweit fatalsten Folgen kollektiver Verleugnung betreffen den Klimawandel. Die Konsequenzen der menschgemachten Erderwärmung werden, trotz aller wissenschaftlicher Belege, nach wie vor von vielen Menschen, Industriezweigen und Politiker*innen angezweifelt.[34]

Es kann sogar ein ganzer Staat den Raum der Verleugnung betreten. Dann wird bezweifelt, dass geschichtlich dokumentierte Ereignisse passiert sind oder dass Ungerechtigkeiten in der jeweiligen Nation existieren. Die chinesische Regierung zum Beispiel leugnete über viele Jahre, dass die muslimische Volksgruppe der Uiguren systematisch verfolgt und Millionen von ihnen in Umerziehungslagern eingesperrt und versklavt wurden. Die Organisation Human Rights Watch spricht von einem Ausmaß an Menschenrechtsverletzungen, »das China seit der Kulturrevolution nicht mehr gesehen hat«. Nachdem die Berichte nicht länger zu leugnen waren, änderte sich die Rhetorik der chinesischen Regierung. Sie bestritt nun nicht mehr, dass es diese Lager gibt, nannte sie allerdings »Ausbildungsstätten«.[35] Im Raum der Verleugnung möchten wir unbedingt die Herrschaft darüber behalten, wie die Geschichte erzählt wird, und dabei ist die Wortwahl natürlich immer sehr entscheidend.

Doch auch in unserer westlichen Welt finden sich Beispiele von kollektiver Verleugnung. Black Lives Matter ist eine Bürgerrechtsbewegung, die in den USA entstand, um auf die »rassistisch motivierte Polizeigewalt« aufmerksam zu machen. Ein großer Teil der weißen amerikanischen Bevölkerung verleugnet jedoch, dass die zahlreichen Todesfälle Schwarzer Bürger durch weiße Polizisten – die in der Regel freigesprochen wurden – ein strukturelles Rassismusproblem darstellen. Auch in Deutschland wird der strukturelle Rassismus von Institutionen immer wieder beklagt. Das zeigt sich bei den Schwierigkeiten für People of Color, eine Wohnung zu finden, bei den oftmals schlechteren Beurteilungen ihrer Kinder in der Schule und der verstärkten Kontrolle durch die Polizei aufgrund ihrer Hautfarbe.[36]

Auch wenn wir fest davon überzeugt sind, dass wir keine Vorurteile haben, sollten wir die Möglichkeit in Betracht ziehen, dass wir hier etwas verleugnen. Wir alle sind in einer Gesellschaft aufgewachsen, in der Klischees und Intoleranz gegenüber bestimmten Personengruppen existieren. Es ist sehr unwahrscheinlich, dass nicht zumindest ein Teil dieser Sichtweisen auch auf uns abgefärbt wurde.

Übung

Selbsteingeständnis und Offenheit

Um den Raum der Verleugnung zu verlassen, musst du präzise hinschauen und ehrlich mit dir selbst sein. Das Eingeständnis, dass du – in welchem Bereich auch immer – etwas verleugnest oder unaufrichtig bist, ist der erste Schritt, um Abstand zu diesem Raum zu bekommen. Außerdem ist es entscheidend, dass du offen bleibst für die Möglichkeit, dass du mit deiner Weltsicht unrecht haben könntest, auch wenn du davon überzeugt bist, dass deine Position die einzig wahre ist.

Nachdem du ehrlich mit dir selbst warst, ist es wichtig, sich jemandem gegenüber zu offenbaren. Fang klein an: Öffne dich zuerst einer Person, der du vertraust, und mache dann von hier aus deinen nächsten Schritt in Richtung Transparenz und Offenheit. Wie du mit der dabei möglicherweise auftretenden Scham und Schuld umgehst, wird im Schuld-Raum behandelt. Arbeite gern auch mit der Frage: »Was ist das Schlimmste, das passieren kann, wenn ich nicht länger verleugne?«

Der Minderwert-Raum

Wir haben die obere Etage verlassen und sind nun im unteren Geschoss angekommen. Die Stimme, die uns in den Minderwert-Raum hineingeleitet, ist der Kritiker, der beständig nach innen schlägt und uns sagt, dass wir nicht richtig sind, es nicht können und wahrscheinlich auch nie hinbekommen werden. Die Hauptgedanken in diesem Zustand sind: »Ich bin nicht gut genug. Ich bin nicht liebenswert. Ich gehöre nicht dazu. Ich habe versagt.«

Dies ist ein einsamer Raum. Wir fühlen uns mangelhaft und haben deshalb eine unablässige Sehnsucht nach Liebe und Anerkennung. Doch solange wir uns diese Liebe nicht selbst geben und weiterhin auf die Stimme des Kritikers hören, werden wir dieses Zimmer nicht verlassen können. Ein Mensch kann nach außen hin alles besitzen – Wohlstand, Familie, Erfolg im Beruf – und sich trotzdem im Minderwert-Raum aufhalten. In diesem Zustand ist das Hochstaplersyndrom beheimatet, bei dem wir nur darauf warten, aufzufliegen oder entlarvt zu werden, weil wir so große Selbstzweifel an unseren Fähigkeiten haben.

Dieser Raum bildet das Gegenstück zum Hybris-Raum. Wie wir bereits gesehen haben, flüchten Menschen regelrecht aus dem Minderwert- in den Hybris-Raum, weil sich der Größenwahn vermeintlich besser anfühlt. Doch die allermeisten können sich nicht sehr lange hier verankern. So stürzen sie nach einiger Zeit wieder in den unteren Raum ab, wo die Kritikerstimme sie jetzt erst recht auseinanderpflückt wegen der Anmaßungen, die sie sich geleistet haben.

Ein weiteres Merkmal des Minderwert-Zustands ist, dass wir uns ständig vergleichen. Genau wie im Hybris-Raum (und auch im Raum der Bedürftigkeit), teilen wir die Welt auf in »besser als …« und »schlechter als …«. Im Hybris-Zustand kommen wir zu dem Schluss, dass es alle anderen schlechter machen, denn hier wendet sich der Kritiker immer nach außen. Demgegenüber dreht sich der verurteilende Lautsprecher im Minderwert-Raum nach innen und hört sich ungefähr so an: »XY hat es besser gemacht als du. Sie kann es besser als du. Sie sieht besser aus als du. Alle finden sie besser als dich. Du wirst es nie so gut hinbekommen wie sie …«

Der Kritiker vergleicht uns allerdings nicht nur mit anderen Menschen, sondern auch mit uns selbst, unseren früheren Leistungen, Erfolgen oder auch mit dem, wie viel besser, schlanker und sportlicher wir früher ausgesehen haben.

Wie bei allen Räumen hängt die Stärke des inneren Schmerzes immer davon ab, wie weit wir der jeweiligen Stimme in das Zimmer hineinfolgen. Je tiefer wir in diesen Raum hineingehen, desto ausgeprägter werden die Gefühle von innerer Wertlosigkeit, sodass wir schließlich in einen depressiven Zustand rutschen können. Wir erstarren dann regelrecht, weil uns die negativen Gedankenschleifen innerlich überfluten. Im Extremfall kann dies dazu führen, dass wir wie gelähmt zu Hause sitzen und gar nichts mehr machen können – aufgrund der Furcht zu versagen oder abgelehnt zu werden.

An dieser Stelle zeigt sich, wie perfide die innere Kritikerstimme arbeitet. Sie spricht zuerst in das eine Ohr und überzeugt uns davon, dass wir nicht gut genug sind. Darum sollten wir auch besser erst gar nicht mit irgendetwas starten, schließlich seien wir dazu bestimmt, zu versagen und abgelehnt zu werden. Verfallen wir dann in einen Zustand der Lethargie, wandert der Kritiker rüber zu unserem anderen Ohr, um jetzt auf uns einzuprügeln, weil wir zu feige oder zu faul seien, den Hintern hochzubekommen.

Übung

Den Kritiker entlarven und liebevolle Selbstannahme üben

Zwei Übungen werden dich aus dem Minderwert-Raum herausführen oder dir helfen, ihn gar nicht erst zu betreten:

1. Solange du in deinem Alltag den Kritiker nicht entlarvst, kannst du keinen Frieden finden. Es braucht achtsame Präsenz von Moment zu Moment, um diese gewalttätige Stimme jederzeit zu bemerken. Dies ist die allerwichtigste Selbstfürsorge für deine mentale Gesundheit, wenn du die Tendenz hast, im Minderwert-Raum zu landen. Es ist wie in Vampirfilmen: In dem Moment, wo wir das Licht (des Bewusstseins) auf den Vampir richten, verliert er an Macht und zerfällt zu Staub.
2. Während du einerseits den Kritiker auf Distanz hältst, musst du andererseits eine positive Gegenstimme aufbauen. Beginne wohlwollend mit dir zu sprechen. Schau liebevoll auf dieses Wesen, das hier gerade liest, und nimm es mit Akzeptanz und Mitgefühl an, so wie du es bei deinem besten Freund oder deiner besten Freundin machen würdest. Das Mitgefühl, das du für alle anderen hast, musst du zuerst lernen nach innen zu bringen.

Der Kritiker wird nicht so leicht aufgeben und versuchen, sich dir auf alle erdenklichen Arten wieder zu nähern. Er wird sich ein Kostüm überziehen oder einen Bart ankleben, um sich unerkannt anschleichen zu können. Darum solltest du die beiden obigen Übungen intensiv trainieren, bis sie dir in Fleisch und Blut übergegangen sind, sodass du sie jederzeit in deinem Alltag abrufen kannst.

Der Raum der Bedürftigkeit

Genau wie der Minderwert-Zustand zeichnet sich auch dieser Raum dadurch aus, dass wir in ihm großen Mangel erleben. Als die unterschiedlichen Zustände, die ich bei mir selbst und anderen beobachten konnte, immer mehr kategorisierbar wurden, waren diese beiden Räume anfänglich noch nicht getrennt. Erst mit der Zeit wurde mir klarer, dass es sich hierbei um unterschiedliche Mangelzustände handelt.

Im Minderwert-Raum erleben wir einen inneren Mangel. Wir glauben, dass *wir* »nicht gut genug sind«, »nicht ausreichend intelligent«, »nicht liebenswert«. Der Mangel bezieht sich also immer auf Merkmale unseres Wesens und auf unseren Selbstwert. Darum fühlt sich dieser Zustand auch ängstlich, einsam, kraftlos und depressiv an. Im Raum der Bedürftigkeit hingegen erleben wir einen äußeren Mangel. Wir glauben, dass wir erst dann glücklich und zufrieden sein können, wenn wir endlich bekommen, was wir uns wünschen. Dieser Mangel bezieht sich zum Beispiel auf eine Partnerschaft, einen bestimmten Job, mehr Anerkennung, finanzielle Sicherheit, ein besseres Aussehen, mehr Gesundheit, Schwangerschaft und Kinder und so weiter. Es ist es auch möglich, dass wir zwischen Minderwert und Bedürftigkeit hin und her wechseln.

In welchem Raum wir uns gerade befinden, erkennen wir an der Stimme, die sich zeigt. Während im Minderwert-Zustand vor allem der innere Kritiker präsent ist, wird der Raum der Bedürftigkeit von der Anspruchsstimme beherrscht. Diese Stimme ist in ihrer Tendenz trotzig-aggressiv, denn sie nörgelt und beschwert sich ausgiebig und kann auch in Enttäuschung und Verbitterung umschlagen. Die Gedanken, die wir von ihr zu hören bekommen, sind: »Ich brauche das unbedingt!« »Das ist gemein! Immer die anderen und nie ich! Das ist nicht fair!« In diesem Raum versinken wir oft auch in Selbstmitleid, sodass unsere Frustration und das ständige Jammern zu einer Geduldsprobe für unser Umfeld werden können. Wenn dieser Zustand zu einem Muster wird, weil wir diesen Raum immer wieder betreten, verlagert sich unsere Bedürftigkeit – sobald wir die eine Sache bekommen haben – direkt auf eine andere.

Übung

Akzeptanz und Dankbarkeit – Alles ist Bonus

Der Weg heraus aus diesem Zustand führt immer über die Akzeptanz der Realität (siehe auch das Kapitel zur dritten Frage »Was ist im Hier und Jetzt nicht in Ordnung?«). Bei manchen Herausforderungen fällt es uns besonders schwer zu akzeptieren. Zum Beispiel, wenn es unsere Gesundheit oder die unserer Liebsten betrifft, wenn wir keine Kinder bekommen können oder wenn wir glauben, dass die Politik schnellere und radikalere Veränderungen einleiten müsste, um den Krisen in der Welt zu begegnen.

Hältst du dich im Raum der Bedürftigkeit auf, bist du aufgefordert zu lernen, dich aktiv für die Dinge einzusetzen, die du dir wünschst, und gleichzeitig den Ist-Zustand zu akzeptieren, wie er nun einmal gerade ist. Ein beständiger negativer emotionaler Zustand ist weder dir selbst dienlich noch der Sache, die du möchtest. Erinnere dich an die sehbehinderte Person, die einen Raum verlassen möchte und gegen eine Wand läuft. Sie wird erst akzeptieren und dann agieren müssen.

Ein weiterer Schlüssel, um diesen Raum zu verlassen, liegt darin, Dankbarkeit zu entwickeln für das, was du bereits hast. Lenke dafür die Aufmerksamkeit weg von den Objekten deines Anspruchs und hin zu den Wundern, die im Hier und Jetzt in deinem Leben vorhanden sind. Es muss nichts Großes sein, wofür du dankbar bist.

Im letzten Sommer war ich in unserem Vorgarten beschäftigt, als ein junges Paar mit seinen beiden Kindern vorbeispazierte. Die ältere Tochter war etwa sieben Jahre alt und saß im Rollstuhl. Auf den Stufen vor der Haustür rekelte sich unser Kater in der Sonne. Als das Mädchen ihn sah, deutete es ganz aufgeregt mit dem Finger auf ihn. Sie hatte auch eine sprachliche Beeinträchtigung, aber es war klar ersichtlich, dass sie Katzen sehr gern mochte. Ich hob den Kater hoch, der manchmal aus der Ferne für einen Hund gehalten wurde, weil er so groß und schwer war, und brachte ihn zu ihr rüber. Als sie mit ihrer Hand sehr vorsichtig und sanft über sein Fell strich, leuchteten ihre Augen vor Glück. Sie war vollkommen in den Augenblick versunken. Tatsächlich sehe ich sehr selten so glückliche Menschen, auch wenn sie körperlich gesund sind. Dabei braucht es nicht so viel, um unsere Aufmerksamkeit weg von der Mangelstimme zu lenken und hin zu einem Wunder im Hier und Jetzt. Manchmal reicht schon ein dicker roter Kater.

Der Schuld-Raum

In diesem Raum sind Angst, Schuld und Scham die maßgeblichen Emotionen. Eine Person, die sich in diesem Zustand befindet, wird mit ihrer Aufmerksamkeit nicht anwesend im Hier und Jetzt sein. Sie ist entweder damit beschäftigt, was sie in der Vergangenheit angeblich alles falsch gemacht hat, oder hat Angst davor, in der Zukunft schuldig zu werden. Dieses Zimmer wird ebenfalls vom inneren Kritiker beherrscht. Die Gedanken sind: »Ich habe einen Fehler gemacht. Es ist meine Schuld. Ich bin verantwortlich.« Aber auch die Antreiberstimme ist hier gern zu Hause, die uns auffordert, alles Mögliche wiedergutzumachen und uns anzustrengen, damit wir nicht wieder schuldig werden.

Glauben wir diesen beiden Stimmen, nehmen sie uns in diesem Raum in Geiselhaft, und sie brauchen nur mit den Fingern zu schnipsen, damit wir wie eine Marionette ihren Anweisungen folgen. Oft gibt es eine Person in unserem näheren Umfeld, die diese inneren Stimmen zusätzlich noch im Außen verkörpert. Das kann unser Partner sein, die Chefin oder auch ein Elternteil. Diese Person befindet sich in der Regel im Kontroll-Raum, in der Hybris oder im Raum der Bedürftigkeit. Hören wir die Kritiker- oder Antreiberstimme auch noch von außen, haben wir einen zusätzlichen Trigger, der uns tiefer in den Schuld-Raum hineinziehen kann.

Schwere Krankheiten oder Unfälle bewegen Menschen in der Regel dazu, innerlich anzuhalten und sich mit dem Sinn ihres Lebens auseinanderzusetzen. So eine Krise bringt uns dann in einen Zustand, wo wir beginnen, unsere bisherigen Einstellungen und Verhaltensweisen zu hinterfragen. Manchmal kann die Erkrankung radikale äußere Veränderungen mit sich bringen, sei es im Arbeitsbereich, bezüglich unserer Wohnsituation oder

Partnerschaft. Nicht selten schafft diese Notlage auch einen Zugang zu unserem »wahrhaftigen Selbst«, dem Absoluten oder Göttlichen in uns. Allerdings ist eine Situation, in der wir uns schwach und hilflos fühlen, auch der Moment, in dem die innere Kritikerstimme versuchen wird, unsere Aufmerksamkeit einzufangen.

Manchmal gibt es in spirituellen und therapeutischen Zirkeln die Vorstellung, dass eine Krankheit zwangsläufig eine psychische Ursache haben muss. Ich spreche häufig mit Menschen, die sich schuldig fühlen, weil sie erkrankt sind. Sie suchen den Grund bei sich, weil sie irgendetwas »nicht sehen wollten« oder weil sie »noch nicht genug« an sich »gearbeitet haben«. Dies ist eine sehr egozentrische Perspektive, die alle Ursachen nur auf das einzelne Individuum zurückführt. Die Vorstellung, dass eine Krankheit im Kern ein individuell psychisches Problem ist, verkennt die Realität, dass jedes Wesen immer in einem größeren Zusammenhang steht. Dieser Organismus wurde uns geschenkt von unseren Eltern und Vorfahren. Sie haben sich zu 100 Prozent weitergegeben an uns und befinden sich also in jeder Zelle unseres Körpers. Wir können nicht wissen, mit welchen Erfahrungen, psychischen Schwierigkeiten und körperlichen Beeinträchtigungen sie zu tun hatten und was davon an uns vererbt wurde.

Wir dürfen auch nicht außer Acht lassen, dass diese Gesellschaft, als kollektiver Körper, Krankheiten erzeugt – durch Umweltgifte, Lärmbelästigung, Stress und so weiter. Wenn Menschen mit solchen Schuldgedanken zu mir kommen, sage ich ihnen: »Die Realität ist, dass dieser Körper irgendwann alt wird, erkrankt und stirbt. Das war schon immer so. Bisher habe ich noch niemanden getroffen, bei dem es nicht so war – erleuchtet oder nicht. Buddha ist krank geworden und gestorben, Mohammed ist krank geworden und gestorben, alle weisen Frauen und

Männer der Vergangenheit sind irgendwann erkrankt und gestorben. Glauben wir wirklich, wenn wir uns nur ordentlich anstrengen, dass es dann bei uns anders laufen wird?!«

Das Ego baut durch solche Schuldvorstellungen Druck auf, der dem Heilungsprozess des Körpers nicht dienlich ist. Wenn dieser Organismus erkrankt, dann sind Beurteilungen und Verurteilungen das Letzte, was er braucht, um wieder gesund zu werden. Stattdessen benötigen wir Verständnis und liebevolle Fürsorge.

Übung

Selbstvergebung und Verantwortung

Um den Schuld-Raum zu verlassen, musst du lernen, dir selbst zu vergeben. Anders kommst du hier nicht raus. Dafür ist es wichtig zu erkennen, dass du in dem Moment, als du gehandelt oder gesprochen hast, nicht anders agieren konntest. Wahrscheinlich schaltet sich an dieser Stelle dein Verstand ein und schreit: »Natürlich hätte ich anders handeln können!« Doch wenn wir Achtsamkeit praktizieren, interessiert uns nicht ein Märchen, das sich der Verstand ausdenkt, sondern die Realität.

Nehmen wir an, dass du dein Kind angeschrien hast und es dir jetzt leidtut. In dem Augenblick warst du nicht in der Lage, ruhiger zu reagieren. Es gab Gründe dafür, dass du es nicht besser hinbekommen hast. Hättest du in der Situation die Klarheit des jetzigen Moments besessen, dann hättest du dich anders verhalten. Du hattest sie aber nicht! Willkommen in der Realität! Kannst du dir verzeihen, dass du es in dem Augenblick nicht besser hinbekommen hast? Sich zu verzeihen bedeutet nichts anderes, als die Realität zu akzeptieren, wie sie in dem Moment war. Machst du das nicht, dann verlässt du die Wirklichkeit und tauchst in eine Illusion ein.

Schuldgefühle haben immer auch eine größenwahnsinnige Komponente. Das Ego bläht sich auf und ist der Meinung: »*Ich* hätte es anders machen können.« Nein! Hättest du nicht! Nicht in dem Moment! Vielleicht fünf Minuten später oder heute, aber nicht zu dem speziellen Zeitpunkt. Es ist an der Zeit, die Fantasiewelt deines Verstandes zu verlassen und die Wirklichkeit zu sehen, wie sie tatsächlich ist und war. Wende dich nach innen und sage:

> »Ich verzeihe mir, denn ich habe es in dem
> Moment einfach nicht besser hinbekommen.«

Du vergibst dir, weil du es in dem Augenblick nicht besser machen konntest, und dennoch trägst du immer Verantwortung für deine Handlungen. Schuld kannst du abwerfen, Verantwortung nicht. Alles, was du sagst oder tust, hat einen Effekt in der Welt, und für diesen Effekt bist du zuständig. Verantwortung zu übernehmen bedeutet in der Regel, aus dem Raum der Verleugnung auszusteigen und einzugestehen, dass du dies so gemacht oder gesagt hast. Dies kann dann dazu führen, dass sich Menschen von dir abwenden, du Geld für dein Fehlverhalten zahlst oder sogar ins Gefängnis musst. Es ist eine Übung, die zwei Aspekte hat:

> »Erstens verzeihe ich mir, und
> zweitens übernehme ich Verantwortung
> für mein Handeln.«

Der Raum der Verwirrung

Wenn unsere Kontrolle nicht mehr greift, dann können wir im Raum der Verwirrung landen. In diesem Zustand haben wir große Schwierigkeiten, eine Entscheidung zu treffen, weil wir Angst davor haben, sie später zu bereuen. Darum herrscht in diesem Raum beständig ein orientierungsloser Nebel. Alles wird angezweifelt und jede Entscheidung zigmal hin und her gewälzt. Wir diskutieren stundenlang jede Option mit allen erdenklichen Menschen. Sind wir dann endlich zu einem Entschluss gekommen, kann es sein, dass er am nächsten Tag wieder über den Haufen geworfen wird. Für unser Umfeld sind wir in diesem Zustand eine wahre Herausforderung, die viel Geduld erfordert. Die Hauptgedanken werden von der Sorgenstimme produziert. Sie lauten: »Ich weiß nicht, was ich machen soll. Ich könnte eine falsche Entscheidung treffen.«

Übung

»Was fühlt sich gut an?«

Um aus dem Raum der Verwirrung auszusteigen, kannst du das Kapitel zur zehnten Frage, »Fühlt es sich gut an?«, nutzen.

Raum der Ohnmacht

Dies ist einer der schmerzhaftesten Zustände im Ego-Haus. In diesem Raum fühlen wir uns verzweifelt, machtlos und handlungsunfähig. Wir haben den Eindruck, einer Situation ausgeliefert zu sein, und wissen nicht, wie wir da herauskommen sollen. Wir betreten den Raum der Ohnmacht in der Regel bei einer schweren Krankheit, wenn wir unseren Job verlieren, bei einer Trennung oder dem Tod einer geliebten Person. Auch jede Form von Gewalt oder die Flucht aus der Heimat kann uns in diesen Zustand katapultieren. Die innere Ohnmacht kann sich in einer akuten Notsituation einstellen oder weil ein altes Trauma durch ein Ereignis im Hier und Jetzt reaktiviert wurde und wir dadurch eine posttraumatische Belastungsstörung erleben. In Zeiten starker politischer und gesellschaftlicher Umwälzungen können wir ebenfalls in den Raum der Ohnmacht wechseln. Wieder bezogen auf den Klimawandel erleben sehr viele Menschen weltweit ein Gefühl der Hilflosigkeit und des Ausgeliefertseins.

Übung

Akzeptanz und Bewegung

Aus dem Raum der Ohnmacht führen dich zwei Elemente:

1. Akzeptiere die Vergangenheit und lass los. Byron Katie sagt oft in ihren Vorträgen: »Wisst ihr, was ich am meisten an der Vergangenheit liebe? It's over! Sie ist vorbei!« Nicht loszulassen wäre so, als würdest du deine Hand auf einer heißen Herdplatte halten und ständig klagen, dass es wehtut, statt sie wegzuziehen.
2. Bring deine Energie in Bewegung. Geh in die Handlung und tritt heraus aus dem Opferdasein. Fang mit körperlichen Bewegungen an – mach Sport, Yoga, einen Spaziergang im Wald oder tanze. Bring dich auch politisch in Bewegung, wenn es dich innerlich dazu drängt. Was kannst du tun, um

aktiv zu werden, anstatt nur darauf zu warten, dass jemand anders es tut?

Je eher du erkennst, in welchem der zehn Räume du dich befindest, desto schneller kannst ihn auch wieder verlassen. Es ist so, als würdest du eine medizinische Diagnose erhalten. Durch das Erkennen der Krankheit bekommst du unmittelbar einen Hinweis auf die mögliche Therapie für deine Heilung. Wenn du begreifst, in welchem Raum du bist, dann weißt du auch, welche Schritte und Übungen du anwenden musst, um wieder in die Freiheit zu kommen.

Siebte Frage: »Beobachte ich aus der Stille?«

Die Frage, um innere Weite zu schaffen.
Finde: Frieden.

Der innere Beobachter ist sprachlich nur sehr schwer zu erfassen, da er kein Objekt ist, das wir anschauen können, sondern das Subjekt, das alles wahrnimmt. Versuchen wir, einen Schritt hinter uns zu treten, tritt das Subjekt automatisch mit nach hinten und entzieht sich so der Beobachtung. Es ist ein Dilemma, das sich nicht auflösen lässt. Sosehr wir uns auch bemühen, wir können nicht hinter unsere eigenen Augen blicken.

Der Blick hinter die Augen

Obwohl wir keine objektiven Angaben über den Beobachter machen können, ist es dennoch möglich, ihn intuitiv zu erfassen. Es gibt die bereits genannten drei Qualitäten, an denen wir erspüren können, dass wir diesen inneren »Ort« erreicht haben. Zwei davon haben wir schon genauer untersucht. In diesem Kapitel schauen wir anhand der siebten Frage, »Beobachte ich aus der Stille?«, auf die dritte Qualität unserer weisen Instanz. Der innere Beobachter ist:

1. präsent im Hier und Jetzt und blickt.
2. immer liebevoll und mitfühlend.
3. die Stille.

In jeder der drei Qualitäten des Beobachters finden sich auch die beiden anderen Aspekte wieder. Tauchen wir vollkommen in die Gegenwart ein, dann sind gleichzeitig Stille und Anteilnahme anwesend. Haben wir Mitgefühl, erleben wir eine Ruhe im Hier und Jetzt, und wenn wir tiefe Stille berühren, sind wir auf ganz natürliche Weise gegenwärtig und empathisch.

Die Frage »Beobachte ich aus der Stille?« ordnen wir allen vier Schritten der Achtsamkeit zu. Denn die Stille:

1. holt uns ins Hier und Jetzt (der erste Schritt der Achtsamkeit)
2. ist eine Form der liebevollen Beobachtung (der zweite Schritt der Achtsamkeit)
3. hilft uns zu akzeptieren und loszulassen (der dritte Schritt der Achtsamkeit)
4. ist eine innere Ausrichtung (der vierte Schritt der Achtsamkeit). In der Stille lassen wir unsere Vorstellungen los und vertrauen uns einem größeren Selbst an. Wir geben uns hin, weil wir wissen, dass wir nicht so viel Kontrolle haben.

Das Leben lebt uns bereits,
auch ohne unser Zutun.

Am Anfang war die Stille

Um den inneren Beobachter zu berühren, müssen wir uns von unserem Denken distanzieren. Wir wissen, dass die allermeisten unserer Gedanken von selbst passieren. Der Verstand schüttet sie einfach aus, ohne dass wir darüber Kontrolle haben. Um einen Abstand zu diesem unablässigen Strom zu bekommen, stell dir für ein paar Augenblicke vor, dass diese Gedanken nicht zu dir gehören. Schließlich ist das die Realität, da »du« sie nicht produziert hast.

> Betrachte alle Gedanken als etwas Fremdes
> und triff die Entscheidung, nicht mit ihnen
> in Kontakt zu gehen. Ignoriere sie.

Wenn du in deinem Alltag diese innere Haltung einübst, wirst du leichter in einen Zustand der Weite, der Leere, des Nichts und der Stille kommen. Anstatt deine Aufmerksamkeit auf all die Planeten, Sterne, Galaxien und schwarzen Löcher zu richten, blickst du auf den Raum zwischen den Objekten. Nicht die Gedanken interessieren dich, die im Raum auftauchen, sondern die stille Weite jenseits aller Vorstellungen, Bilder und Ideen. Dafür brauchst du eigentlich nichts zu tun. Denn mit diesem weiten Raum von Stille sind wir alle bereits auf die Welt gekommen. Anstatt also etwas zu machen, sollten wir aufhören, etwas zu tun.

Wir müssen endlich das zwanghafte Denken und die Identifikation mit unserem Verstand beenden, um wieder in unseren ursprünglichen Bewusstseinszustand zurückzufinden. Deswegen ist es dringend notwendig mit einer landläufigen Überzeugung aufzuräumen:

Wir benötigen unseren Verstand nicht, um bewusst zu sein!

Der weit verbreitete Glaube, dass unsere Gedanken und somit der Verstand uns überhaupt erst zu bewussten Wesen machen, ist nicht wahr. Wir waren bereits bewusst, bevor wir anfingen zu denken.

Der Verstand ist ein wundervoller Assistent, der im Laufe der Evolution herausgebildet wurde. Er hilft uns durch seine Gedanken, das Bewusstsein in eine bestimmte Form zu gießen, um dadurch besser kommunizieren, reflektieren und planen zu können. Weil er so ein ungemein hilfreiches Instrument ist und wir mit seiner Hilfe die ganze Erde beherrschen konnten, haben wir uns immer weiter in eine Abhängigkeit von ihm begeben. Suchen wir Lösungen – egal ob in persönlichen oder globalen Problemfeldern –, vertrauen wir zu 100 Prozent auf diesen Ratgeber. Irgendwann haben wir sogar aufgehört, einen Unterschied zwischen unserem »Ich« und dem Verstand zu machen. Wir glauben: »Mein Verstand und ich sind ein und dasselbe.«

Der Verstand ist jedoch vollkommen überfordert mit den Aufgaben, die wir ihm zuschieben. Es ist so, als ob wir als Besitzer*in eines Unternehmens den jungen Lehrling zum Geschäftsführer machten und uns dann darüber wunderten, dass es mit der Firma langsam bergab geht. Und anstatt zu hinterfragen, ob es nicht vielleicht das Problem ist, dass wir den Azubi an die Spitze des Unternehmens gesetzt haben, wenden wir uns händeringend an diesen überforderten Lehrling mit der Frage, was wir bloß tun sollen. Genauso wenden wir uns immer wieder an unseren Verstand und überfordern ihn, indem wir Lösungen bei ihm suchen, die er uns nicht geben kann.

Der Verstand ist ein guter Ratgeber. Wir negieren oder unterdrücken ihn nicht. Doch nachdem wir alle Informationen von ihm eingesammelt haben, finden wir unsere Entscheidungen an einem Ort der Stille und des Mitgefühls. Nur eine Instanz, die außerhalb des Verstandes und des Denkens steht, kann zu einem weisen Urteil kommen.

Es ist der stille Blick des Beobachters, der eine Lösung findet, die das gesamte Unternehmen retten kann.

Wenn wir mit der Frage »Beobachte ich aus der Stille?« in unserem Alltag praktizieren, werden wir mit der Zeit immer schneller Abstand zu unserem Verstand herstellen können. In dem Moment des vermeintlichen Herzinfarktes war ich in der Lage, Distanz zu meinen Gedanken zu schaffen, weil ich schon länger trainiert hatte, aus der Stille heraus zu beobachten. Nur dadurch konnte ich so schnell in einen Zustand von Akzeptanz und Gleichmut wechseln. Alles ist Training. Auch die innere Stille. Stille bedeutet nicht, dass da keine Gedanken mehr anwesend sind – obwohl auch das passieren kann. Vielmehr schaffen wir so viel Raum um die Gedanken herum, dass sie uns nicht mehr direkt auf der Nase sitzen und wir nicht zu 100 Prozent mit ihnen identifiziert sind. Beobachten wir aus der Stille, schaffen wir den Abstand, den wir benötigen, um in Freiheit und Frieden unsere Entscheidungen zu treffen.

Pflanzen und Bewusstsein

Dass da bereits Bewusstsein war, bevor sich der Verstand eingeschaltet hat, sehen wir an Babys und kleinen Kindern. Sie nehmen sehr genau wahr, auch wenn noch kein Gedanke ihr inneres Universum betreten hat. Es ist durchaus möglich, bewusst zu sein und zu handeln, ohne dabei zu denken. In der Tier- und Pflanzenwelt lässt sich dies ebenfalls beobachten. Wir wissen mittlerweile aus der Wissenschaft, dass Pflanzen wahrnehmende Wesen sind. Die kanadische Professorin für Forstwirtschaft Suzanne Simard war eine der ersten Forscherinnen, die nachgewiesen haben, dass Bäume über ihre Wurzeln miteinander kommunizieren können. Dabei gehen die Pflanzen eine Symbiose mit Pilzen (Mykorrhiza) ein, die sich auf ihre Wurzeln setzen und so ein unterirdisches Netzwerk bauen. Durch die Leitungen dieses riesigen Geflechts, das die Pilze bilden, können die Bäume sich gegenseitig mit Salzen und Wasser versorgen. Im Gegenzug erhalten die Pilze Nährstoffe von den Bäumen, die sie nicht selbst produzieren können. Doch über diese Netzwerke werden nicht nur Nahrung und Flüssigkeit ausgetauscht. Die Pflanzen können sich auch gegenseitig warnen, wenn zum Beispiel gefräßige Insekten sie attackieren. Erhalten benachbarte Bäume eine solche Warnung, produzieren sie vorsorglich Enzyme in ihren Blättern, um dadurch die Angreifer abzuwehren.[37]

Stefano Mancuso arbeitet am Internationalen Institut für Pflanzenneurobiologie in Florenz. Er hat an Mimosen geforscht, einer Pflanzenart, die sich beim kleinsten Kontakt schützend zusammenzieht. Mithilfe eines Experiments hat er die Mimosen an eine bestimmte Berührung so lange gewöhnt, bis sie nach einiger Zeit bei diesem Reiz nicht mehr reagierten. Die Mimose hatte gelernt, dass diese spezielle Berührung keine Gefahr darstellt. Dadurch konnte der Pflanzenforscher belegen, dass die Mimose sowohl ein Erinnerungsvermögen besitzt als auch die Fähigkeit hat, das Erlernte umzusetzen. Selbst einen Monat später konnte sich die Pflanze noch an den Reiz erinnern und darauf reagieren.[38] Intelligenz und Bewusstsein haben also nicht zwangsläufig etwas mit Denken zu tun.

Wenn wir unsere Aufmerksamkeit zum inneren Beobachter bringen, schauen wir mit einem bestimmten Blick auf die Welt. Es ist der Blick eines neugeborenen Kindes oder die schweigende Präsenz eines Baumes. Die Stille des Beobachters ist unser natürlicher, ursprünglicher Zustand. Kinder sind noch in Kontakt mit diesem Ursprung. Sie schauen, ohne zu bewerten. Genauso wie Tiere oder Pflanzen können sie Realität wahrnehmen, ohne identifiziert zu sein. Sie sind verbunden mit der Ganzheit und dem Universum. Diese Verbundenheit ist das, was wir von ihnen wieder lernen können. Wenn wir in Kontakt mit Kindern, Tieren oder der Natur sind, dann können wir uns inspirieren lassen von der inneren Stille, die sie ausstrahlen.

Ich erinnere mich, dass ich als Kind sehr lange Phasen von Stille erlebt habe. Doch als ich älter wurde, begann der Verstand schrittweise zu übernehmen. Er katapultierte immer mehr Gedanken in mein Wahrnehmungsfeld, denen ich glaubte und vertraute. In der Stille war ich sehr glücklich – mit dem Denken fingen die Probleme und das Leiden an. In der Regel beginnt der Verstand seine langsame Herrschaft beim Eintritt in die Schule, und der stille Zustand verändert sich von da an zusehends. Nachdem wir das Kindsein hinter uns gelassen haben, werden wir so Gefangene der Geschichten, die uns der Verstand von Moment zu Moment erzählt und deren Gravitationskraft uns bindet. Schließlich befinden wir uns fast nur noch im Stadium einer Ego-Identifikation – in einem Zustand von Habenwollen und Nichthabenwollen.

Jesus versucht uns einen Fingerzeig in die Freiheit zu geben, wenn er sagt: »Wahrlich, ich sage euch: Es sei denn, dass ihr umkehret und werdet wie die Kinder, so werdet ihr nicht in das

Himmelreich kommen.«[39] Das Himmelreich Gottes ist kein entfernter Ort, den wir erst nach dem Tod aufsuchen können. Wenn es – laut Jesus – Kinder bewohnen, dann ist es auch für jede und jeden von uns möglich, diesen Ort zu erreichen. Wenn wir lernen, wieder aus der Stille zu schauen, blickt automatisch das ganze Universum aus uns heraus.

Stille ohne Stereotypen

Doch nicht nur für unsere persönliche Freiheit ist die Frage »Beobachte ich aus der Stille?« von großer Bedeutung. Je mehr wir lernen, Abstand zu unseren Gedanken herzustellen, desto weniger sind wir unseren Stereotypen und Vorurteilen gegenüber anderen ausgesetzt. Aus der Stille heraus begegnen wir Menschen unvoreingenommen. Normalerweise ist der Blick, mit dem wir andere betrachten, immer eingefärbt durch die Urteile und Bewertungen unseres Verstandes. Diese Einschätzungen, die wir uns über viele Jahre durch Erziehung, Erfahrungen und Sozialisierung angeeignet haben, sind wertvoll, solange wir in der Lage sind, sie aus einer inneren Weite heraus zu betrachten und dadurch in einen größeren Kontext zu setzen. Wenn mich einmal eine Biene gestochen hat, dann nutze ich diese Erfahrung, um achtsamer im Umgang mit ihnen zu sein, werde aber nicht jedes Mal panisch, wenn eine Biene auftaucht, und erkläre auch nicht allen Bienen den Krieg. Der Beobachter als stille, weise Instanz sollte entscheiden, ob die Kommentare und Einschätzungen des Verstandes Sinn machen und geglaubt werden sollten oder besser nicht.

Die Vorurteile des Verstandes, die einfach von uns geglaubt werden, haben eine enorme Auswirkung auf unsere Gesellschaft. Mit den Stereotypen im Kopf interagieren wir jeden Tag mit

Menschen, wählen Parteien und entscheiden darüber, in welche Richtung sich dieser Staat und diese Welt entwickeln.

Ein Beispiel dafür, wie sehr wir von unserem eingefärbten Blick geprägt sind, zeigt eine Studie, in der britische Forscher*innen des University College London einen Test mit Vätern und Müttern durchgeführt haben. Dabei sollten die Eltern den IQ ihrer Töchter und Söhne einschätzen. Natürlich dachten alle Mütter und Väter, dass ihre Kinder überdurchschnittlich intelligent seien. Doch die Ergebnisse waren vor allem in anderer Hinsicht sehr aufschlussreich. Demnach ging die Mehrzahl nämlich davon aus, dass die Söhne einen höheren IQ hätten als die Töchter. Nicht nur die Väter, sondern auch die Mütter kamen gleichermaßen zu dieser Bewertung.[40] Wenn schon die Eltern das Vorurteil haben, dass ihr Sohn begabter und intelligenter sei als die eigene Tochter, braucht es uns nicht zu wundern, dass von den fünfhundert weltweit größten Unternehmen nur 3 Prozent von Frauen geleitet werden und 2019 in Deutschland nur knapp jede dritte Führungskraft weiblich war.[41]

Die britische Journalistin Mary Ann Sieghart hat 2021 ein Buch mit dem Titel *The Authority Gap (»Die Autoritätslücke«)* geschrieben. Der Titel ist angelehnt an den Begriff »Gender Pay Gap« und die Tatsache, dass Frauen in der westlichen Welt 18 Prozent weniger verdienen als Männer. Die Autorin erforscht in ihrem Buch, woher der große Unterschied im Verdienst kommt. Sie zeigt, wie Stereotype und Vorurteile in unseren Köpfen dazu führen, dass die Mehrheit der Bevölkerung – nach wie vor – Männern mehr Autorität, Sachverstand und Intelligenz bescheinigt, obwohl Frauen die Männer bei den Hochschulabschlüssen schon vor Jahren überholt haben.[42]

Du kannst einen Schnelltest machen, ob du auch solche Stereotype im Kopf hast: Stell dir vor, du liest drei unterschiedliche

Artikel. In dem ersten geht es um einen Prozess in einem Gerichtssaal, die zweite Reportage begleitet eine Person bei einer ärztlichen Untersuchung, und der dritte Artikel behandelt eine Vorlesung an der Universität. Hier ist nun die Frage an dich: Wenn das Geschlecht der Personen nicht erwähnt wird, was taucht dann spontan vor deinem inneren Auge auf? Siehst du einen Richter oder eine Richterin; einen Arzt oder eine Ärztin; einen Professor oder eine Professorin? Als ich vor ein paar Jahren meinen allerersten Termin als Schöffe hatte, bin ich auf meinem Weg zum Gericht unbewusst davon ausgegangen, dass der Richter in dem Prozess ein Mann sein wird. Die Vorsitzende war allerdings eine Frau, genauso wie die Staatsanwältin und die Verteidigerin. Ich gehöre also auch zu jenen Leuten, die erst mal ganz selbstverständlich davon ausgehen, dass es sich bei einer Autorität um einen Mann handeln muss.

Die Befangenheit, die in unserem Verstand vorherrscht, hört allerdings nicht bei Geschlechterstereotypen auf. 2018 haben Forschende der Universität Mannheim in einer Versuchsstudie nachgewiesen, dass angehende Lehrerinnen und Lehrer schlechtere Diktatnoten an Kinder vergeben, die einen ausländischen Namen haben. Die Lehrkräfte wurden in zwei Gruppen aufgeteilt und bekamen ein absolut identisches Diktat mit denselben Fehlern. Allerdings standen unterschiedliche Namen auf den Arbeitsblättern. Die Lehrer*innnen der einen Gruppe benoteten die Arbeit von einem Schüler mit dem Namen »Max« und die andere Gruppe das Diktat von »Murat«. Das Ergebnis: »Max« bekam durchweg eine bessere Note für exakt dieselbe Arbeit als »Murat«.[43]

Stereotype, Befangenheit und Vorurteile können für manche Mitglieder unserer Gesellschaft auch zu einer körperlichen Bedrohung führen. 2014 hat der Berliner Senat eine Studie in Auftrag gegeben mit der Frage nach der »Lebenssituation und

Diskriminierungserfahrungen schwuler und bisexueller Männer«. Für die Forscher*innen waren die Ergebnisse erschreckend. Sie hatten nicht damit gerechnet, dass schwule und bisexuelle Männer noch immer einem solchen Ausmaß von Anfeindungen ausgesetzt sind. Über 65 Prozent der Befragten berichteten davon, schon mal beleidigt, belästigt oder bedroht worden zu sein.[44]

Auch Menschen mit einem Migrationshintergrund und People of Color erleben häufig verbale Attacken und körperliche Übergriffe. Die repräsentative Studie »Being Black in the EU« aus dem Jahr 2018 erfasst Diskriminierungserfahrungen Schwarzer Menschen in allen EU-Staaten. Darin gaben 48 Prozent an, dass sie in Deutschland in den letzten fünf Jahren rassistische Anfeindungen erfahren haben.[45]

Wir könnten die Liste von Diskriminierungserfahrungen fortsetzen, denen beispielsweise auch Transgender, jüdische Mitbürger*innen, Menschen mit Behinderungen oder Frauen, die ein Kopftuch tragen, ausgesetzt sind. Niemand von uns ist frei von Stereotypen – auch wenn wir uns für noch so aufgeschlossen und tolerant halten. Bewusstsein für unsere internalisierten Vorurteile zu schaffen und uns daran zu erinnern, aus der Stille zu beobachten, ist ein wesentlicher Teil der spirituellen Praxis, um über diese Prägungen hinauszuwachsen. Darum fragte uns Thay damals bei der Fußballweltmeisterschaft, ob wir das Spiel anschauen können, ohne zu diskriminieren. Eine spirituelle Praxis oder Religion, die diskriminiert, kann nicht wahrhaftig sein. Die Vorstellung von einer universellen göttlichen Kraft, die uns alle erschaffen hat, jedoch mich, meine Gruppe und unsere speziellen Überzeugungen bevorzugt, ist unlogisch und der Gedanke »Gott hat mich mehr lieb als dich« sehr naiv. Praktizieren wir innere Stille, dann macht uns dies nicht automatisch frei von Vorurteilen. Aber wir können von diesem Ort aus besser wahrnehmen, wenn Stereotype anwesend sind, und sie hinterfragen. Der innere Beobachter schenkt uns den Abstand, den wir brauchen, um das unbewusste Denken bewusst zu machen.

Stille und Vertrauen

Begeben wir uns in die Stille, ist dies ein Akt des Vertrauens und der Hingabe. Wir lassen die Kontrolle los, die wir versuchen mithilfe unserer zwanghaften Gedanken herzustellen. Wir haben sowieso nicht so viel Kontrolle, wie wir glauben. Das Leben lebt uns bereits. Es ist ein Zustand der Unbekümmertheit, in dem sich Kinder und Tiere ganz selbstverständlich befinden.

> Die Stille – nicht das Denken –
> ist unser natürlicher Zustand.

Sind wir innerlich still, stellen sich Gleichmut, Akzeptanz und Frieden automatisch ein. Dann übernimmt eine größere Kraft das Steuer. Wenn ich einen Kurs gebe oder eine Meditation anleite, dann weiß ich vorher nie, was ich sagen werde. Ich entspanne mich in die Stille hinein und lasse mich davon überraschen, was als Nächstes aus meinem Mund herauskommen wird. Genauso wenig weiß ich, was der nächste Satz sein wird, den ich hier schreibe. Die Stille und somit der Beobachter ist mein innerer Lehrer – mein Guru. Diesem Guru vertraue ich mich an. Für mich ist dies die Bedeutung von Psalm 23: »Der Herr ist mein Hirte, mir wird nichts mangeln. Er weidet mich auf einer grünen Aue und führet mich zum frischen Wasser. Er erquicket meine Seele. Er führet mich auf rechter Straße um seines Namens willen. Und ob ich schon wanderte im finstern Tal, fürchte ich kein

Unglück; denn du bist bei mir, dein Stecken und Stab trösten mich ...«

Welche Kraft das Vertrauen in die innere Stille haben kann, verdeutlichte uns Thay mit einer Geschichte aus der Zeit, als er Novize in Vietnam war. Damals herrschte Frankreich noch als Kolonialmacht, und Vietnam hieß Französisch-Indochina. Jeden Morgen saß Thay vor dem Sonnenaufgang mit zweihundert anderen Mönchen in der Meditationshalle. An einem Tag wurde die Stille der meditierenden Brüder von lauten Rufen und Stiefelschritten unterbrochen, die aus dem Innenhof hereindrangen. Die Tür zur Meditationshalle sprang plötzlich auf, und französische Soldaten stürmten herein. Sie waren offensichtlich auf der Suche nach irgendjemandem. Als die Soldaten den Raum betraten, rührte sich keiner der Mönche. Alle Brüder blieben bewegungslos auf ihren Kissen sitzen und unterbrachen die Stille nicht. Die französischen Soldaten waren von dem Anblick und der Mauer der Ruhe, die sich ihnen präsentierte, so beeindruckt, dass sie mitten im Laufschritt stoppten. Langsam und leise zogen sie sich wieder zurück.

Übung

Drei Möglichkeiten, die Stille in dein Leben einzuladen, möchte ich dir hier vorstellen. Verbunden mit der Frage »Beobachte ich aus der Stille« kannst du sie in deinen Alltag einbauen.

Sitzmeditation in der stillen Weite

Deine Aufmerksamkeit zu trainieren ist die nachhaltigste Art, um in die Stille zu kommen. Nutze wieder die Sitzmeditation als Übungsfeld und setze dir eine bestimmte Zeitspanne. Wenn du ein wenig Übung gesammelt hast, dich über das Zählen im Hier und Jetzt zu verankern, kannst du die Zahlen weglassen und stattdessen deine Aufmerksamkeit bewegungslos still in der Weite halten. Du erlaubst ihr nicht, irgendwo anzudocken. Welche Gedanken auch immer in dein Wahrnehmungsfeld kommen, du schenkst ihnen keine Beachtung. Egal wer vor deiner Tür steht und anklopft, du machst einfach nicht auf. Du ignorierst die Gedanken, auch wenn sie noch so verführerisch durchs Schlüsselloch flüstern. Bekämpfe sie nicht, denn dadurch gibst du ihnen nur weitere Energie. Du folgst deinem Verstand bereits den ganzen Tag über. Nutze diese Zeit, um mal etwas anderes zu machen.

Erinnere dich immer wieder an deinen Fokus, die Gedanken als etwas Fremdes zu betrachten, das nicht zu dir gehört. Übertrage diese Übung auch in deinen Alltag. Stell dir zwischendurch die Frage: »Beobachte ich aus der Stille?«

Halte dein Bewusstsein wie einen stillen See,
den du auf keinen Fall in Bewegung bringen willst.

Der See wird nicht durch die Gedanken bewegt, die reinkommen, sondern durch die Bewegung deiner Aufmerksamkeit zu den Gedanken hin.

Weich und weit bleiben

Es wird dir leichter fallen, in die Stille zu kommen, wenn dein innerer Aggregatzustand flüssig oder gasförmig ist. Je stärker du mit dem Ego identifiziert bist, desto fester und härter bist du, und umso mehr Gedanken sind anwesend. Folgende innere Haltungen werden dir helfen, weich und weit zu bleiben.

- **Akzeptanz:** Akzeptiere dich, dein Gegenüber und die Situation, in der du dich befindest. Akzeptiere auch, wenn du nicht akzeptieren kannst.
- **Vertrauen:** Vertraue dem Leben. Es lebt dich bereits. Du hast nicht so viel Kontrolle, wie du glaubst. Gib dich hin.
- **Loslassen:** Lass immer wieder deine Vorstellungen und Ideen los.

Finde die Stille in der Natur

Gehe in die Natur. Lass dich von Bäumen, Tieren oder auch kleinen Kindern inspirieren, still zu werden.

Achte und neunte Frage: »Was braucht es?« »Woher kenne ich das?«

Fragen nach den Bedürfnissen und der Wiederholung.
Das »Prinzip Innere Kindarbeit«.
Finde: Verständnis.

Wir haben gesehen, dass ein emotionales Leiden von den inneren Ego-Räumen abhängt, in denen wir uns aufhalten. Ohne das Bewusstsein darüber, in welcher Identifikation wir uns befinden, und ohne Abstand dazu werden wir keine Linderung herstellen können. Doch manchmal sind wir uns bewusst darüber, in welchem schmerzlichen Zustand wir sind, und dennoch haben wir nicht das Gefühl, dass sich in unserem Seelenleben etwas verändert. Wir hängen nach wie vor in dem Ego-Raum fest und atmen seine Atmosphäre ein. Trotz der Erkenntnis schaffen wir es nicht, in die Akzeptanz zu kommen und so viel Distanz herzustellen, um in den Beobachter und somit in die Freiheit zu gelangen.

Das »Prinzip Innere Kindarbeit«

Der Grund für solche Schwierigkeiten hat oft damit zu tun, dass wir den Zustand, in dem wir uns befinden, bereits sehr gut kennen. Wahrscheinlich sind wir schon seit unserer Kindheit immer wieder als Stammgast in diesem Raum zu Besuch. Durch die ständige Wiederholung hat sich dann dieser innere Zustand zu einem Muster verfestigt und klebt nun ganz nah an uns dran. Werden wir nun durch irgendetwas getriggert – zum Beispiel indem jemand etwas zu uns sagt oder sich auf eine bestimmte Art und Weise verhält, die uns an früher erinnert –, dann landen wir wieder in dem altbekannten Ego-Raum. In so einem Fall ist es sinnvoll, eine Methode anzuwenden, die wir das »Prinzip Innere Kindarbeit« nennen. Es zählt zum dritten Schritt der Achtsamkeit: Akzeptanz. Wir nennen es »Prinzip«, weil es eine Erweiterung der üblichen Arbeit mit dem inneren Kind ist. Wir wenden dabei dieselbe Technik an, übertragen sie allerdings auf andere Altersstufen.

Bei der inneren Kindarbeit – deswegen heißt sie so – arbeiten wir normalerweise nur mit dem kleinen leidenden Wesen, das wir einmal waren. Wir visualisieren während einer Meditation dieses verletzte Kind und geben ihm – aus unserer heutigen, erwachsenen Perspektive – Trost, Wertschätzung und Sicherheit. Dadurch senden wir eine neue Information nach innen und können die alten Glaubenssätze des Kindes überschreiben, mit denen wir bereits seit Jahren – oder manchmal sogar Jahrzehnten – herumlaufen.

Beim Prinzip Innere Kindarbeit nutzen wir dieselbe Methode. Allerdings arbeiten wir mit einem verletzten »Ich« aus der näheren Gegenwart. Wir schauen zum Beispiel auf uns in einer Situation von gestern oder von letzter Woche, in der wir gelitten haben. Der Ablauf dieser Meditationstechnik bleibt dabei immer gleich, egal ob wir mit einer Identifikation arbeiten, die zehn Minuten alt ist, fünf Jahre oder fünfzig Jahre. Tatsächlich ist es in manchen Fällen sogar sinnvoller, sich nicht direkt dem traumatisierten Kind zuzuwenden, weil für einige Menschen die Emotionen überwältigend sein können. Doch weil dieselben Glaubenssätze und Muster, die wir uns als Kind angeeignet haben, in der Gegenwart auch anwesend sind, können wir genauso gut im Hier und Jetzt mit unserer Arbeit ansetzen.

Schauen wir uns an einem Beispiel an, wie das konkret funktionieren kann: Als Ellen, die von ihrer Mutter schon in der Kindheit als »Nutte« beschimpft wurde, die Diagnose mit den HPV-Viren bekommt, hört sie wieder die Stimme der Mutter – diesmal in Form ihres eigenen inneren Kritikers. Er beschimpft sie, weil sie sich erlaubt hat, ihre Sexualität zu leben. Die Erkrankung durch die Viren ist der Trigger, durch den die Stimme auftaucht und sie in den altbekannten Schuld-Raum zieht. Obwohl sie sich dieses Prozesses bewusst ist, schafft Ellen es nicht, das Gefühl der Schuld und Scham loszuwerden, und kontaktiert mich daraufhin.

Wir arbeiten nun mit dem Prinzip Innere Kindarbeit. Anstatt in die Kindheit zu gehen und auf die kleine Ellen zu schauen, die von ihrer Mutter beschämt wurde, bleiben wir in der Gegenwart. Schließlich ist die Emotion, unter der sie leidet, im Hier und Jetzt anwesend. Ich bitte Ellen, die Augen zu schließen und ihrer Atmung zu folgen, um sich im Moment zu verankern. Sie soll in die innere Beobachterin wechseln und dabei auf sich selbst schauen wie auf eine gute Freundin – mit viel Mitgefühl und dennoch mit ein wenig Distanz. Dann frage ich die Beobachterin, wie es Ellen geht. »Sie fühlt Scham. Sie glaubt dem Kritiker, der ihr sagt, dass sie eine Nutte ist.« Ich möchte wissen, wo Ellen die Emotionen im Körper am stärksten spürt. »In der Brust.«

Ich leite an: »Atme sanft genau dorthin und bleibe weiterhin mit deiner Aufmerksamkeit bei Ellen, als wäre es deine Schwester oder liebste Freundin.« Nach einer Weile frage ich die Beobachterin:

»Was braucht es?«

»Was braucht Ellen in diesem Moment?« Mit der Frage nach dem Bedürfnis nähern wir uns der Lösung, um aus dem Zustand auszusteigen und die alte Perspektive zu überschreiben. Mit der Distanz, die wir durch die innere Beobachterin aufgebaut haben, können wir nun mit einer größeren Klarheit erkennen, was gebraucht wird. Es ist sehr wichtig, zuerst Abstand zu der Identifikation herzustellen. Ohne einen Zwischenraum werden wir keinen objektiveren und klareren Blick bekommen.

Die Beobachterin antwortet auf die Frage nach dem Bedürfnis: »Sie braucht die Erlaubnis, dass sie okay ist, so wie sie ist.« Daraufhin bitte ich die Beobachterin, sich Ellen zu nähern. Sie soll ihre Hand nehmen oder den Arm um sie legen und – immer noch mit derselben liebevollen Haltung – Folgendes sagen: »Ich bin jetzt da für dich. Ich habe dich lieb, so wie du bist, und es ist in Ordnung, deine Bedürfnisse zu leben.« Die Beobachterin muss dabei wirklich meinen, was sie sagt. Wenn es nur halbherzig geschieht, wird die Methode nur einen sehr beschränkten Effekt haben.

Bereits nach ein paar Minuten beginnt sich Ellens Gesicht zu verändern. Ich frage sie, wie es ihr geht. Sie sagt, dass die Gefühle von Schuld und Scham verschwunden sind. Als sie die Augen öffnet, fühlt sie sich sehr friedlich und entspannt.

Dieser gesamte Prozess hat nur etwa dreißig Minuten gedauert, und Ellen ist danach komplett verwandelt. Anschließend gebe ich ihr die Hausaufgabe, in den kommenden Wochen noch öfter dieselbe Information nach innen zu bringen, um den Frieden, den sie jetzt erlebt, nachhaltig zu verankern.

Zurück in die Kindheit

Bewusstsein kennt keine Zeit. Es ist also letztendlich egal, an welcher Stelle auf der Zeitachse unseres Lebens wir mit unseren schmerzvollen Mustern arbeiten. Die Identifikation ist schließlich immer dieselbe. Bringen wir eine neue Information ins System – egal an welcher Stelle –, heilen wir gleichzeitig Vergangenheit, Gegenwart und Zukunft. Falls wir jedoch mit dem Prinzip Innere Kindarbeit in der Gegenwart einige Male gearbeitet haben und sich das Muster dennoch immer wieder zeigt, macht es durchaus Sinn, in die Kindheit zu schauen.

So wie bei Marie ... Sie wechselt in der Regel zwischen Kontroll- und Schuld-Raum hin und her. Egal ob bei der Arbeit, in ihrer Familie oder im Freundeskreis: Sie fühlt sich immer verantwortlich dafür, dass es den Menschen um sie herum gut geht. Sie versucht ständig, Harmonie herzustellen, und schaut, dass zuallererst die Bedürfnisse der anderen erfüllt sind. Ihr Glaubenssatz ist: »Erst wenn die anderen zufrieden sind, kann ich zufrieden sein.« Sie versucht, immer alles richtig zu machen, und hat ein schlechtes Gewissen, wenn sie – trotz aller Anstrengung – eine negative Rückmeldung von jemandem bekommt. Dementsprechend ist sie ständig gestresst und fühlt sich unter Druck. Weil Marie mir erzählt, dass sie immer wieder in diesen Zustand hineinrutscht, obwohl wir bereits einige Male daran gearbeitet hatten, stelle ich ihr die neunte Frage:

»Woher kennst du das?«

Diese Frage ist eine Meditationsaufgabe, mit der wir uns in die Vergangenheit gleiten lassen und intuitiv dem folgen, was sich als Erstes zeigt. Als ich Marie die Frage stelle, woher sie dieses Muster kennt, für alles verantwortlich zu sein, schließt sie die Augen und geht innerlich auf die Suche. Bereits nach ein paar Sekunden öffnet sie die Augen schon wieder und schaut mich völlig überrascht an: »Ich kenne es aus meiner Kindheit. Meine Mutter war Alkoholikerin und mein Vater Autist, schizophren und hatte Angstpsychosen. Ich habe als Kind immer versucht, Harmonie ins Familienleben zu bringen. Ich fühlte mich für alles verantwortlich. Ich habe gekocht und das Haus sauber gehalten, damit mein Vater, wenn er nach Hause kam, nicht sauer wurde. Meine Mutter lag häufig betrunken auf dem Sofa und war unfähig, etwas zu tun. Mal ging es ›gut‹, oft flippte mein Vater dennoch aus. Nachts ging es hoch her. Ich lief dann ins Wohnzimmer und habe versucht, den Streit zu schlichten. Immer mit dem Anspruch, es schaffen zu müssen. Häufig wurde mein Vater handgreiflich. Er wirkte immer krank und hilflos. Ich habe dann versucht, ihn zu beruhigen. Das war schwer, und ich musste die richtigen Worte finden. Später hat sich das dann fortgesetzt. Ich habe jahrelang versucht, Menschen glücklich zu machen. Wenn ich keine positive Rückmeldung bekam oder auch gar keine Rückmeldung, dann dachte ich, ich hätte etwas falsch gemacht, und fühlte mich schuldig. Ich war dann verzweifelt und hatte Angst davor, andere zu enttäuschen.«

Als Marie klar wird, woher ihr Verantwortungsmuster stammt, begreift sie, dass der Schmerz, den sie im Hier und Jetzt empfindet, etwas sehr Altes ist. Daraufhin arbeitet sie ein paar Wochen lang mit der kleinen Marie, die noch immer in ihr lebt, und berichtet danach Folgendes: »Mir ist jetzt klar geworden, dass es vorbei ist, und ich habe verstanden, wie genau dieser Schmerz entsteht.

Entweder spüre ich ihn, wenn ich an Vergangenes denke oder wenn ich mir ausmale, was alles zukünftig passiert. Um dieses Muster aufzulösen, komme ich ins Jetzt. Was der jetzige Moment ist, wird mir immer klarer. Ich verstehe es nicht nur intellektuell, sondern kann es fühlen. Sobald ich im gegenwärtigen Moment bin, ist von dem Schmerz nichts mehr übrig. Ich bleibe nun viel öfter im Hier und Jetzt und merke, wie gut mir das tut, weil ich dann frei bin. Dann habe ich kein Problem, und alles löst sich auf. Es ist komisch. Ich habe das Hier und Jetzt immer vom Kopf her verstanden, doch nie wirklich gelebt. Jetzt hat sich das verändert, und es fühlt sich ganz einfach an.«

Als ich die Kindarbeit im Kloster für mich entdeckte, wusste ich nicht, dass es bereits eine bekannte Methode war. Ich stolperte während meines ersten Jahres in Plum Village ganz intuitiv darüber, weil ich während fast jeder Sitzmeditation weinen musste, ohne zu wissen warum. Sobald ich mich auf mein Kissen setzte, flossen kurze Zeit später bereits die ersten Tränen und das, obwohl ich mich nicht daran erinnern konnte, wann ich das letzte Mal geweint hatte, bevor ich ins Kloster kam. Irgendwann tauchte dann in meiner Vorstellung ein Bild von mir als Kind auf: Ein einsamer Junge saß allein in einem sterilen Zimmer. Die Szene triggerte so starke Emotionen, dass ich noch mehr weinen musste. Als ich einen von meinen Mönchs-Brüdern um Hilfe bat, riet er mir, dass ich alles, was in meiner Meditation auch immer passieren würde, mit liebevoller Akzeptanz annehmen sollte. Dennoch, sagte er, müsse ich eine gewisse Distanz dabei bewahren, um mich nicht zu sehr in die Emotionen reinziehen zu lassen.

Thay hatte uns gesagt, dass unsere Achtsamkeitspraxis wie ein Muskel sei. Je öfter wir diesen Muskel trainieren, desto mehr Leiden können wir tragen. Am Anfang unserer Praxis ist dieser Muskel noch nicht so ausgebildet, und darum sind wir nicht in der

Lage, über einen längeren Zeitraum im Modus des Beobachters zu bleiben. Dadurch ist das Paket an emotionalen Schmerzen noch nicht sehr groß, das wir transformieren können. Doch je mehr wir üben, desto kräftiger wird unser Achtsamkeitsmuskel, und desto mehr Leiden können wir umarmen. Durch kontinuierliches Training sind wir in der Lage, immer länger im Beobachter zu sein, und können aus dieser Position Heilung nach innen bringen. Wenn unser Achtsamkeitsmuskel allerdings noch zu schwach ist, werden wir von der Gravitation der Emotionen in die Identifikation hineingezogen und schaffen keine Auflösung des inneren Konflikts. Wir wiederholen dann das innere Drama, anstatt es aus einer weiseren und erwachseneren Perspektive zu beleuchten. Darum ist es oft hilfreich, sich anleiten zu lassen, wenn wir das »Prinzip Innere Kindarbeit« anwenden. Unser Gegenüber unterstützt uns dann dabei, den Gravitationskräften standzuhalten. Außerdem ist es wichtig, dass wir uns nicht rund um die Uhr nur mit schmerzhaften Emotionen beschäftigen, sondern immer auch Dinge tun, die uns Freude und Leichtigkeit bringen. (Siehe dazu auch das Kapitel zur zehnten Frage »Fühlt es sich gut an?«.)

Da ich zum damaligen Zeitpunkt schon seit über sechs Monaten im Kloster lebte und jeden Tag Achtsamkeit trainiert hatte, war ich in der Lage, mich – zumindest über einen gewissen Zeitraum – im Beobachter zu halten. Ich begann mit den Situationen, die während meiner Meditation auftauchten, zu experimentieren. Ich wusste, dass ich dabei die ganze Zeit meiner Atmung folgen musste, um mich präsent im Hier und Jetzt zu halten. Denn hätte ich mich nicht mithilfe meines Atems verankert, wäre ich von den Emotionen wegegeschwemmt worden. Aus der achtsamen Präsenz heraus konnte ich mich mit Fürsorge dem kleinen Jungen in dem sterilen Zimmer zuzuwenden und ihm den Trost und die Zuwendung geben, die er benötigte. Über die nächsten

Monate übte ich diese Methode immer wieder. Ich ging auch zwischendurch – während des Tages – für ein paar Atemzüge in Kontakt mit meinem inneren Kind, als wäre es mein Sohn. Irgendwann stellte ich fest, dass das Kind zufrieden und entspannt auf meinem Schoß saß und nicht mehr diese Einsamkeit und Verzweiflung spürte. Da wusste ich, dass ich die alte Identifikation überschrieben hatte.

Wenn ich andere Menschen dazu anleite, ihr inneres Kind in den Arm zu nehmen, dann sagen sie manchmal unter Tränen: »Ich kann es nicht.« Ich sage dann: »Stell dir vor, dass du auf die Straße gehst und da steht ein kleines Kind und weint. Weit und breit kein Erwachsener. Könntest du dich um dieses Kind kümmern?« In der Regel nicken dann alle, und ich bitte sie, aus dieser erwachsenen Haltung heraus auf ihr eigenes inneres Kind zuzugehen. Wir können uns fast alle um ein fremdes Kind kümmern, das allein weinend auf der Straße herumsteht. Es gibt keinen Grund, warum wir nicht dasselbe nach innen machen können.

Übung

Prinzip Innere Kindarbeit

Wenn du feststellst, dass du in einer Identifikation oder in einem Ego-Raum festhängst und nicht rauskommst, dann kann das Prinzip Innere Kindarbeit eine sehr hilfreiche Technik sein, um dich aus dem Leiden herauszuholen. Falls du es allein und ohne Unterstützung machen möchtest, sollte dein Achtsamkeitsmuskel zumindest so weit ausgebildet sein, dass du in der Lage bist, dich im Beobachter zu halten, selbst wenn starke Emotionen auftauchen. Diese Schritt-für-Schritt-Anleitung hat sich bewährt:

1. Nimm einen bequemen und aufrechten Sitz ein und beginne, deiner Atmung zu folgen. Die Atmung ist dein Anker, um dich im Hier und Jetzt zu halten. Verliere ihn während des Prozesses nicht. Du kannst etwas tiefer atmen als gewohnt und dennoch die Ausatmung völlig entspannt loslassen.
2. Entscheide dann, mit welcher schmerzhaften Identifikation auf der Zeitachse du arbeiten möchtest. Du kannst auf das Wesen schauen, das gerade hier sitzt, oder auf eine Situation, die dreißig Jahre alt ist oder älter. Lass die Emotionen der jeweiligen Situation auftauchen.
3. Bleib die ganze Zeit im Beobachter. Halte ein wenig Distanz und schaue mitfühlend auf dich, so wie du auf eine sehr gute Freundin oder einen sehr guten Freund blicken würdest oder auf deine Tochter oder deinen Sohn. Nimm wahr, welche Emotionen und Körpergefühle in dem Moment anwesend sind. Bleibe liebevoll anwesend.
4. Aus deiner weisen Beobachterposition stell die Frage: »Was braucht es? Was braucht die Identifikation?«
5. Werde innerlich still, lass eine Antwort auftauchen. Gib diese neue Information nach innen, indem du dich selbst in den Arm nimmst und Dinge nennst, die gebraucht werden. Erinnere dich daran, dass du wirklich meinst, was du da sagst.

Weiter zurückschauen

Wenn eine Identifikation immer wieder auftauchen sollte, dann stell dir die Frage: »Woher kenne ich das?« Lass diese Frage ebenfalls in die Stille sinken und schau, wohin sie dich trägt. Du musst nicht zwangsläufig in der Kindheit landen, aber sehr oft liegt hier das Fundament des Musters.

Zehnte und elfte Frage: »Fühlt es sich gut an?« »Tue ich es aus Freiheit?«

Die Fragen, um die richtige Entscheidung zu treffen.
Finde: *Deinen* Weg.

Unser Leben ist ein fortlaufender Prozess – Schritt für Schritt und Atemzug für Atemzug. Nichts im Universum ist statisch – selbst Stahl bewegt sich, wenn wir auf die Quantenebene schauen. Wir sind immer unterwegs und kommen niemals irgendwo an ... außer in diesem heiligen gegenwärtigen Augenblick. Da jeder Moment anders ist, sind wir auf unserem Weg kontinuierlich aufgefordert zu erspüren, ob wir auch noch die richtige Richtung eingeschlagen haben. Stimmt die Art, wie wir leben und arbeiten, noch mit unserer inneren Wahrheit überein? Denn hören wir über einen längeren Zeitraum nicht auf unser Herz und weigern uns, dem zu folgen, was sich richtig anfühlt, werden wir zwangsläufig anfangen zu leiden – mental und/oder körperlich.

»Fühlt es sich gut an?«

Dies ist die Frage, die wir nach innen stellen, um wahrzunehmen, wohin wir uns ausrichten sollten. Die meisten Menschen hören auf ihren Verstand und auf das, was sich gut an-denkt, anstatt auf das, was sich gut an-fühlt. Doch Wahrheit und Weisheit werden wir nicht im Verstand finden. Er kann wieder als guter Assistent dienen, indem er Informationen sammelt und sie uns präsentiert. Doch dann müssen wir uns nach innen wenden, um die Antwort in der Stille des Beobachters zu finden.

Der vierte Schritt der Achtsamkeit: Ausrichtung

Die Frage gehört zum vierten Schritt der Achtsamkeit: Ausrichtung. Um hier anzukommen, müssen wir jedoch die ersten drei Schritte gegangen sein. Nur im Hier und Jetzt (erster Schritt) nehmen wir wahr, was sich richtig anfühlt. Denn solange wir mit der Aufmerksamkeit bei unseren Sorgen über die Zukunft sind oder der Vergangenheit nachtrauern, können wir nicht erspüren, was in diesem Augenblick der richtige Weg für uns ist.

Als Nächstes benötigen wir ein offenes Herz und einen liebevollen Blick auf uns und die Welt (zweiter Schritt). Mit unserem stillen Mitgefühl schaffen wir ein wenig Abstand zu den vier inneren Stimmen (Sorge, Kritiker, Antreiber und Anspruch) und bekommen mehr Klarheit darüber, was wir wirklich tun wollen und was nicht.

Schließlich müssen wir die Realität akzeptieren und lernen loszulassen (dritter Schritt). Solange wir noch an unseren Vorstellungen festhalten, wie etwas sein sollte, können wir keine Veränderungen einleiten. Erinnere dich an die sehbehinderte Person, die vor der Wand steht. Sie wird zuerst akzeptieren müssen, dass da eine Mauer ist, um sich dann neu auszurichten und einen anderen Weg einzuschlagen.

> Unserem Herzen von Moment zu Moment zu folgen ist die wichtigste Aufgabe, die wir haben.

Um unsere wahre innere Ausrichtung zu bestimmen, müssen wir lernen, dem stillen Beobachter mehr zu vertrauen als unseren Gedanken. Dein Verstand wird dir nicht beantworten, was du heute essen möchtest, ob dies der richtige Partner oder Job für dich ist. Du musst es er-spüren und nicht er-denken. Viele Menschen hängen in Beziehungen und Berufen fest, obwohl ihnen ihr Herz etwas anderes sagt. Sie folgen ihren Ängsten oder ihrer Bedürftigkeit, anstatt der weisen inneren Stimme zu vertrauen und manchmal schmerzhafte Entscheidungen zu treffen. Doch weiterhin in dem zu verbleiben, was sich nicht richtig anfühlt, wird auf Dauer viel mehr Leiden erzeugen – für uns und die anderen.

Achtsamkeit und Nahrung

Sri Nisargadatta Maharaj war ein indischer spiritueller Lehrer, der über viele Jahre ein kleines Tabakgeschäft in Mumbai betrieben hat. Von dem weisen Kettenraucher wird folgende Anekdote berichtet: Der Meister kam eines Tages in eine fremde Stadt, um einen Vortrag zu halten. Viele Menschen warteten auf den erleuchteten Lehrer und waren sehr gespannt darauf, ihn endlich persönlich zu treffen. Als er schließlich mit einer Zigarette in der Hand eintraf, sagte einer der Schüler geschockt und überrascht: »Aber Meister! Ihr haftet ja dem Rauchen an!« Daraufhin erwiderte Maharaj: »Und du haftest anscheinend dem Nichtrauchen an.«[46]

Eine spirituelle oder religiöse Praxis verbinden wir oft mit Askese oder mit bestimmten Verboten und Verhaltensregeln. Deswegen fühlen sich Menschen manchmal auch so abgeschreckt davon. Doch eine wahrhaftige Praxis sollte uns immer ins Mitgefühl und in die innere Freiheit führen. Vor jeder Entscheidung ist es wichtig zu überprüfen, ob unsere Motivation mitfühlend und möglichst angstfrei ist. Die Frage: »Fühlt es sich gut an?« kann uns als Leitfaden und Meditation dienen. Dabei treffen wir unsere Entscheidungen immer nur im Hier und Jetzt. Es ist durchaus möglich, dass wir in drei Tagen oder drei Jahren die Frage zum selben Thema ganz anders beantworten.

Manchmal wird mir in diesem Zusammenhang folgende Frage gestellt: »Ist es denn in Ordnung, abends eine Flasche Wein zu trinken, wenn es sich für mich gut anfühlt?« Meine Antwort ist in der Regel: »Fühlt es sich *nachhaltig* gut an?« Diese Frage muss jeder Mensch für sich selbst beantworten. Für mich fühlt es sich schon lange nicht mehr gut an zu trinken. Wenn ich früher Alkohol getrunken habe, hatte ich danach nicht das Gefühl, dass ich meinen Körper oder andere Menschen mitfühlend behandelt habe. Manchmal habe ich unter Alkoholeinfluss Dinge getan und gesagt, die ich im Nachhinein bereue. Und auch wenn dies nicht der Fall war: Spätestens am nächsten Morgen musste ich die Frage, ob sich der Konsum nachhaltig gut anfühlt, verneinen.

Wir sollten uns auch bewusst über die möglichen Auswirkungen unserer Handlungen sein und dann dafür die Verantwortung übernehmen. Bei Alkohol wissen wir, dass er nicht nur ein gesundheitliches Risiko darstellt, sondern auch die Wahrscheinlichkeit erhöht, straffällig oder gewalttätig zu werden. Auch sexuelle Übergriffe werden öfter unter Alkoholeinfluss begangen, und laut Kriminalstatistik spielt bei 34 Prozent der sehr schweren Körperverletzungen Alkohol eine wesentliche Rolle.[47]

Weil wir oft nicht ganz bei Sinnen sind, wenn wir eine Droge konsumiert haben, ist es schwierig, in dem Moment verantwortungsvoll und mitfühlend zu handeln. Manchmal höre ich in einem Kurs, wie jemand davon erzählt, dass bei ihnen zu Hause ein Streit vollkommen eskaliert ist. Stelle ich dann die Frage, ob Alkohol mit im Spiel war, wird das oft bestätigt.

Wie gesagt: Es geht nicht um Askese oder Verbote. Denn dann würden wir einer inneren Antreiber- oder Kritikerstimme folgen, und das ist auch keine Freiheit. Stattdessen wollen wir Dinge achtsam, bewusst und mitfühlend entscheiden. Dann wird es uns auch leichtfallen, die Verantwortung für unsere Entschlüsse und Handlungen zu übernehmen. Nisargadatta Maharaj ist 1981 mit vierundachtzig Jahren an Kehlkopfkrebs gestorben. Er hat einmal über das Rauchen gesagt, dass sein Körper einige Gewohnheiten behalten hat, dies aber für ihn kein Problem darstellt. Er war sich bewusst über die Auswirkungen und hat die Verantwortung für seine Entscheidung übernommen.[48]

In der Achtsamkeitspraxis begreifen wir nicht nur Essen und Trinken als Nahrung, sondern auch alles, was wir mit unseren Augen, den Ohren und den sonstigen Körpersinnen zu uns nehmen. Schließlich werden diese Dinge ebenfalls von unserem System »verstoffwechselt« und haben somit einen Effekt auf uns. Dementsprechend ist das, was wir in Büchern, Zeitschriften oder im Internet lesen, genauso als Nahrungsmittel zu verstehen wie die Gespräche, die wir führen, oder die Musik, die wir hören. Natur ist ebenso eine Nahrung wie Meditation, Sport oder die Massage, die wir bekommen. Meditieren wir in unserem Alltag regelmäßig mit der Frage »Fühlt sich das gut an?«, dann werden wir immer mehr Dinge loslassen, die uns nicht guttun, und mehr Sachen zu uns nehmen, die wirklich nahrhaft sind.

Und damit kommen wir zur nächsten Frage:

»Tue ich es aus Freiheit?«

Nahrung gelangt nicht nur von außen über unsere Sinnesorgane in uns hinein, sondern auch über den Verstand. Denn auch Gedanken werden von unserem System verdaut und haben dadurch einen großen Effekt auf den Körper und unsere Gemütslage, wie wir bereits bei den vier Stimmen gesehen haben. Diese innere Nahrung hat in der Regel noch mehr Auswirkungen auf unsere mentale Gesundheit als das, was von außen hereinkommt, und kann die Freiheit unserer Entschlüsse enorm beeinflussen. Wenn wir aus Angst, Ärger, Gier oder Bedürftigkeit handeln, dann sind wir nicht frei und sollten uns diese Emotionen und die dazugehörigen Gedanken genauer anschauen, bevor wir zu einer Entscheidung kommen. Ansonsten kann es sein, dass wir schwerwiegende Entschlüsse treffen, die wir später bereuen.

Als ich geboren wurde, war Homosexualität in der Bundesrepublik Deutschland noch verboten. Ein Mann, dem nachgewiesen wurde, dass er Sex mit einem anderen Mann hatte, musste mit Gefängnis und Berufsverbot rechnen. Ein paar Jahre, nachdem dieses Gesetz abgeschafft wurde – ich war gerade aufs Gymnasium gekommen –, stellte ich fest, dass ich schwul bin. Noch heute fällt es vielen LBGTIQ-Teenagern (Lesbian, Bisexual, Gay, Transgender, Intersexual, Queer) sehr schwer, sich zu outen. Auch wenn sich die Stimmung in der Bevölkerung in den vergangenen Jahrzehnten gewandelt hat, ist das Wort »schwul« immer noch eines der häufigsten Schimpfwörter auf den Schulhöfen. Kein Kind sucht sich freiwillig aus, queer zu sein. Ihr Anderssein zu akzeptieren ist für die allermeisten immer noch ein schwieriger Prozess, der sehr lange dauern kann.

Als ich im Kloster ankam, war ich so begeistert von dem Ort und der Achtsamkeitspraxis, dass ich unbedingt Mönch werden wollte. Nach einigen Wochen ging ich also zu einem älteren Bruder, um ihm meinen Wunsch mitzuteilen. Doch als ich ihm erzählte, dass ich schwul bin, sagte er, dass dies ein Hindernis für die Ordination sein könnte. Ich war geschockt und rutschte in einen depressiven Zustand, den ich schon von früher her gut kannte. Dann marschierte ich für mehrere Tage zwischen Minderwert-Raum und dem Raum der Bedürftigkeit hin und her. Ich war einerseits überzeugt davon, nicht liebenswert zu sein, und glaubte andererseits, dass ich die Liebe und Anerkennung der Mönche unbedingt bräuchte, um meinen Selbstwert zu steigern.

Da ich mich aber schon einige Wochen im Kloster aufhielt, hatte ich bereits gelernt, dass ich mit allen inneren Zuständen üben musste – insbesondere mit schmerzhaften Emotionen. Also begann ich wie bereits beschrieben mit dem »Prinzip Innere Kindarbeit« zu arbeiten. Ich schaute während der Meditation mit Mitgefühl und etwas Distanz auf mich wie auf eine andere Person. Durch den Blick von außen konnte ich Mitgefühl für dieses Wesen entwickeln, das sich selbst so stark ablehnte. Dann begann ich die Energie von Liebe und Akzeptanz nach innen zu bringen. Es dauerte ein paar Tage, aber je mehr Anteilnahme und Selbstfürsorge ich dem Wesen und somit mir selbst zuführte, desto mehr Frieden und innere Freiheit empfand ich.

Plötzlich wurde mir etwas klar: Ich wollte gar kein Mönch werden. Ich wollte nur deswegen ordinieren, um dazuzugehören. Da war keinerlei Freiheit in meiner Entscheidung. Ich bettelte regelrecht um Anerkennung und war so begierig darauf, von den Brüdern gemocht zu werden, dass ich aus dem Zustand heraus alles getan hätte, um ihre Zuneigung und Akzeptanz zu bekommen. »Interessant«, dachte ich, »du würdest tatsächlich ein Leben als Mönch verbringen, nur um gemocht zu werden.« Als mir das klar wurde, fühlte ich eine unglaubliche Freiheit.

Bewusstsein schafft Transformation.

Das hatte Thay immer wieder zu uns gesagt. Es ist wie die Sonne, die auf eine Blumenknospe scheint. Durch die Anwesenheit der Sonne beginnt die Transformation der Blume, und die Knospe öffnet sich. Genauso verändert sich unser innerer Zustand, wenn Bewusstsein sein Licht darauf richtet.

Die Erkenntnis über meine Bedürftigkeit gab mir einen inneren Frieden und die Klarheit darüber, was sich für mich gut anfühlte. Ich beschloss, als Laie im Kloster zu bleiben und weiter zu praktizieren, um alles aufzusaugen, was der Ort und die Brüder mir beibringen konnten. Aber ich wollte nicht den Rest meines Lebens als Mönch verbringen. Wie ich erst später begriff, wäre es gar kein Problem gewesen, als schwuler Mann zu ordinieren. Ich hatte mir für die Unterredung nur einen der konservativeren Brüder ausgesucht, dessen Meinung keineswegs Konsens im Kloster war. Dennoch war ich dem Mönch im Nachhinein sehr dankbar. Ohne ihn hätte ich wahrscheinlich eine Entscheidung aus einer Unfreiheit heraus getroffen, die ich später bereut hätte.

Übung

Entscheidungen aus dem Herzen und der Freiheit

Nutze die Frage »Fühlt es sich gut an?» zuerst bei kleinen, alltäglichen Dingen: zum Beispiel bei der Entscheidung darüber, was du essen möchtest oder ob du dich mit jemandem treffen willst. Je mehr Übung du darin bekommst, dem zu folgen, was sich gut anfühlt, desto leichter werden dir auch »größere« Entscheidungen fallen. Falls du Schwierigkeiten hast, dich zu entscheiden, dann spüre rein, wie du die Frage »Kaffee oder Tee?« beantworten würdest. An dem inneren Ort, wo du die Lösung für die Frage »Kaffee oder Tee?« findest, da findest du die Antworten für alle anderen Entscheidungen. Was fühlt sich gerade gut an?

Wenn du eine Entscheidung treffen willst, frage dich auch: »Tue ich es aus Freiheit?« Stellst du fest, dass du aus Angst, Ärger, Gier oder Bedürftigkeit handelst, dann bist du nicht frei. Stoppe und arbeite zuerst mit diesen Zuständen, um etwas Abstand von ihnen zu bekommen. Das wird dir mehr Klarheit geben. Solltest du dann immer noch nicht wissen, was du machen sollst, entscheide spontan und intuitiv. Denk daran, dass es auch eine Entscheidung ist, wenn du dich nicht entscheidest.

Zwölfte Frage: »Bin ich sicher?«

Die Frage, um die innere Perspektive
zu überprüfen. »The Work«.
Finde: Wahrheit.

Regina wird sehr schnell eifersüchtig. Sie kennt diesen Zustand bereits seit ihrer Kindheit. Obwohl ihr Mann Ralf noch nie untreu war, kann sie das allerkleinste Anzeichen in diese Identifikation hineinziehen. Regina wandert dann in den Raum der Bedürftigkeit, in dem sie sich einsam fühlt und kein Vertrauen mehr empfindet.

Es ist wieder einmal so weit, als ein großer Blumenstrauß bei ihnen zu Hause eintrifft. Er ist an Ralf adressiert – enthält allerdings weder eine Karte noch einen Absender. Regina ist außer sich. Sie will von Ralf wissen, wer ihm die Blumen geschickt hat, aber er beteuert immer wieder, dass er keine Ahnung habe. »Ich will die Blumen nicht sehen! Schmeiß sie bitte weg«, verlangt sie genervt. Gehorsam trägt er den Strauß in den Keller, wo er ihn in der großen Gemeinschaftsmülltonne entsorgt.

Auf dem Weg zurück in die Wohnung erinnert sich Ralf daran, dass seine Schwester ihnen schon mal von demselben Floristen

Blumen geschickt hatte. Ein kurzes Telefonat bestätigt: Die Blumen waren tatsächlich von ihr – und zwar als Geschenk für Regina, die zwei Wochen zuvor Geburtstag hatte. Ralfs Schwester dachte, dass es besser wäre, nicht am Geburtstag selbst einen Strauß zu senden, damit nicht alle Blumen auf einmal eintreffen.

Nach diesem Perspektivenwechsel läuft Regina eilig in den Keller zur Mülltonne, die am Tag zuvor geleert wurde, und fischt von ganz unten, mühsam und zerknirscht, den Strauß wieder heraus.

Damit kehren wir zurück zu der Frage, die ich von Thay in meinem ersten Jahr in Plum Village bekommen habe: »Bist du sicher?« Die Aufforderung, die eigene Perspektive zu hinterfragen, begegnet uns nicht nur im Buddhismus. Der griechische Philosoph Sokrates war berühmt dafür, seinen Schülern so lange Fragen zu stellen, bis die Unlogik ihrer Sichtweisen entlarvt wurde. Diese Technik wird heute noch in der kognitiven Psychologie angewandt und heißt »sokratische Methode«. Die Erkenntnis, dass unsere emotionalen Probleme mit der Perspektive unserer Gedanken zusammenhängen, wird auch in der hinduistischen Schule des Advaita Vedanta gelehrt, der Sri Nisargadatta Maharaj angehörte. Er sagt:

> »Zu wissen, dass du ein Gefangener des Verstandes bist, ist der Beginn der Weisheit.«[49]

The Work of Byron Katie

Es gibt eine spezielle Methode, um unsere Sichtweisen zu hinterfragen, die ich in meinen Achtsamkeitskursen immer vermittle, weil die Fragetechnik so simpel und gleichzeitig enorm effektiv ist: The Work of Byron Katie.[50] Auch die spirituelle Lehrerin Byron Katie erkannte nach ihrem Erleuchtungserlebnis, dass sie leidet, wenn sie ihren Gedanken glaubt, und dass das Leiden aufhört, sobald sie anfängt, ihre Gedanken zu hinterfragen. Aus dieser Erkenntnis ist »The Work« entstanden. Dabei wird der Gedanke, unter dem wir gerade leiden, mithilfe von vier Fragen untersucht und im Anschluss ins Gegenteil umgedreht.

Dies sind die Fragen (und die zweite ist verwandt mit Thays »Bist du sicher?«):

1. Ist das wahr? (Ja oder nein)
2. Kann ich mit absoluter Sicherheit wissen, dass es wahr ist? (Ja oder nein)
3. Wie reagiere ich, was passiert, wenn ich den Gedanken glaube?
4. Wer wäre ich ohne diesen Gedanken?

Diesen Prozess der vier Fragen und Umkehrungen sollten wir ebenfalls in einer meditativen Haltung machen. Wir versetzen uns dafür zurück in die Situation, in der unsere schmerzhafte Perspektive entstanden ist. Das kann zum Beispiel der Moment sein, als wir uns darüber geärgert haben, was unser Partner gesagt hat; der Augenblick, als wir uns mehr Wertschätzung von unserer Chefin gewünscht hätten, oder eine Situation, bei der wir uns hilflos gefühlt haben, weil wir wieder schlechte Nachrichten über den Klimawandel gehört haben.

Es ist in jedem Fall hilfreich, diese Übung schriftlich zu machen, da der Ego-Verstand sehr gut darin ist, unsere Aufmerksamkeit von den Fragen wieder abzuziehen. Wenn es dir schwerfällt, den Satz oder Gedanken zu finden, der in dir die schmerzhafte Emotion ausgelöst hat, dann kannst du dir eine Frage vorab stellen:

»Was sollte anders sein, oder wie hätte die Situation anders sein sollen?«

Schauen wir uns anhand einiger Beispiel konkret an, wie The Work praktiziert wird.

»Meine Mama liebt mich nicht.«

Malina ist Anfang dreißig und stammt ursprünglich aus dem ehemaligen Jugoslawien. Die Eltern flohen während des Balkankrieges in den Neunzigerjahren nach Deutschland. Malina erlebt ihre Mutter heute noch als sehr streng. Früher wurde sie oft von ihr beschimpft und geschlagen. Der Gedanke, mit dem sie The Work praktiziert, ist: »Meine Mama liebt mich nicht.« Diesen Glaubenssatz schleppt sie schon seit der Kindheit mit sich herum.

Während sie die Fragen beantwortet, schließt Malina die Augen und versetzt sich innerlich in eine Situation, als ihre Mutter wieder mal etwas an ihr kritisiert und bemängelt.

- Erste Frage: »Deine Mama liebt dich nicht. Ist das wahr?«
- Malina (ohne zu zögern): »Ja!«
- Zweite Frage: »Deine Mama liebt dich nicht. Kannst du mit absoluter Sicherheit wissen, dass das wahr ist?«
- Malina (zögert nur kurz): »Ja!«

Die beiden ersten Fragen kennen nur zwei Antworten: ja oder nein. Bei The Work gibt es kein Richtig oder Falsch. Wir wollen wie Wissenschaftler*innen erforschen, was Realität ist und was nicht. Darum ist es gut, wenn wir bei der Beantwortung innerlich das Tempo herausnehmen und uns Zeit lassen.

- Dritte Frage: »Wie reagierst du, was passiert, wenn du den Gedanken glaubst: Deine Mama liebt dich nicht?«
- Malina: »Ich gehe in den Widerstand, wenn sie wieder mal an mir herummeckert, und schreie zurück. Ich fühle mich wertlos und hilflos, weil ich schon alles probiert habe, um sie zufriedenzustellen. Ich fühle mich wieder wie ein kleines Kind und verantwortlich dafür, dass sie leidet und unglücklich ist. Mein Körperzentrum zieht sich dann zusammen, und ich verspüre Übelkeit.«

Bei der dritten Frage wollen wir drei Dinge erforschen:

- Die Emotionen, die mit dem Gedanken auftauchen. (Malina fühlt sich wertlos und hilflos.)
- Das Verhalten, das wir an den Tag legen, wenn wir diese Perspektive einnehmen. (Malina geht in den Widerstand und schreit zurück.)
- Welche Körpergefühle mit dem Glaubenssatz erzeugt werden. (Ihre Körpermitte zieht sich zusammen, und ihr wird übel.)

Wir wollen diese drei Punkte erforschen, weil eine leidvolle Perspektive meistens ein Muster ist, das wir auch in sonstigen Situationen wiederholen. Wie sich auf Nachfrage herausstellt, kann Malina tatsächlich auch in anderen intimen Beziehungen den Gedanken haben, dass sie nicht geliebt wird, und ihre Emotionen, Körpersymptome und Handlungen sind dann exakt die gleichen.

Je mehr Wissen wir über unsere Reaktionen ansammeln, desto eher werden wir sie in Zukunft wahrnehmen können. Wenn sich bei Malina in einer Situation wieder die Köpermitte zusammenzieht, ihr übel wird oder sie jemanden anschreit, dann ist dies wie ein innerer Gong, der sie warnt: »Du rutschst gerade wieder in deinen gewohnten Zustand.« Sie wird dann schneller in die innere Beobachterin wechseln können und wahrnehmen, dass sie ihr altes Muster wiederholt.

Thay hat einmal zu uns gesagt: »Auch ich ärgere mich manchmal oder mache mir Sorgen. Doch der Unterschied zwischen euch und mir ist, dass ich es schneller merke. Und weil ich es schneller merke, kann ich den Zustand schneller transformieren.« Das Muster aus dem Beobachter heraus zu erkennen ist bereits der Schritt in die Freiheit.

Weiter in The Work:

- Vierte Frage: »Wer wärst du ohne den Gedanken: Meine Mama liebt mich nicht?«
- Malina (hat zuerst Schwierigkeiten, sich vorzustellen, dass der Gedanke nicht da ist): »Ich fühle mich etwas freier und habe ein wenig mehr Distanz zu den Emotionen.«

Bei der vierten Frage geht es nicht unbedingt darum, dass der Gedanke gar nicht mehr da ist. Wir sollten nur so viel Abstand zu ihm bekommen (uns im Beobachter befinden), dass diese Perspektive uns nicht mehr direkt auf der Nase sitzt. Wir stellen uns vor, wie es wäre, wenn unsere Aufmerksamkeit nicht zu 100 Prozent auf den Gedanken ausgerichtet ist.

Nachdem Malina die vier Fragen beantwortet hat, dreht sie den Ursprungsgedanken um. Ein Gedanke kann in verschiedene Richtungen umgedreht werden. Immer wenn wir einen Satz umkehren, finden wir dann Gründe, warum die neue Sichtweise auch wahr sein könnte. Bisher haben wir immer in eine bestimmte Richtung geblickt, und jetzt schauen wir zur Abwechslung mal in eine andere. Auch wenn es uns schwerfällt, sollten wir unsere Aufmerksamkeit für einige Zeit in der neuen Perspektive halten.

- Die erste Umkehrung des Gedankens »Meine Mama liebt mich nicht« ist: »Ich liebe meine Mama nicht.«

Malina findet folgende Gründe: »Ich liebe meine Mama in dem Augenblick nicht, wenn ich sie verurteile und ihr vorwerfe, dass sie mich manipuliert. Ich kritisiere sie mindestens genauso harsch wie sie mich, auch wenn ich natürlich glaube, dass meine Kritik berechtigt ist.«

- Die zweite Umkehrung, die Malina findet, lautet: »Ich liebe mich nicht.«

Malina: »Ja, das stimmt. Ich liebe mich nicht, weil ich die ganze Kritik internalisiert habe und sie mittlerweile glaube. Ich bin mir dann selbst meine größte Feindin.«

- Die dritte Umkehrung des Gedankens »Meine Mama liebt mich nicht« hat den größten Effekt auf Malina: »Sie liebt mich.«

Malina: »Sie liebt mich, weil sie mir jeden Tag schreibt und mich anruft, und am liebsten hätte sie es, wenn ich wieder zu ihr nach Hause ziehen würde. Sie liebt mich, weil sie alles getan hat, damit wir hier in Deutschland ein besseres Leben haben als sie in Jugoslawien. Sie liebt mich, weil sie ihr Leben für uns geopfert hat. Sie liebt mich, weil sie mir immer Geld gegeben hat, wenn ich etwas brauchte, und mir auch heute noch ihr letztes Hemd geben würde.«

Malina ist emotional sehr berührt von den Gründen, die sie dafür gefunden hat, dass ihre Mama sie liebt. In den kommenden Monaten übt sie immer wieder, sich an diese Perspektive zu erinnern. Mit der Zeit findet sie dadurch mehr zur Versöhnung. Kritisiert ihre Mama heute etwas an ihr, dann geht Malina nicht direkt in den Widerstand und fühlt sich auch nicht mehr wie ein kleines Kind. Sie kann jetzt aus der inneren Beobachterin heraus mit einer erwachseneren Perspektive auf die Situation schauen und hat mehr Verständnis für ihre Mutter und sich selbst.

»Wenn ich mich abgrenze, bin ich kein guter Mensch.«

Rosi ist Rentnerin und lebt mit ihrem Mann in einem Einfamilienhaus. Ihre direkte Nachbarin kennt sie schon seit über dreißig Jahren. Sie kommt jeden Tag zu Besuch, obwohl Rosi dies gar nicht recht ist. Sie stört sich vor allem daran, dass die Nachbarin sich über alle anderen Nachbarn beklagt und dass sie auch Rosi immer wieder Vorschläge macht, was sie tun oder lassen sollte. Als ich Rosi frage, warum sie die Nachbarin nicht darum bittet, weniger oft zu kommen, antwortet sie: »Wenn ich mich abgrenze, dann bin ich kein guter Mensch.« Mit diesem Satz machen wir The Work. Rosi schließt die Augen und stellt sich vor, dass die Nachbarin wieder bei ihr auf der Terrasse sitzt und Kaffee trinkt.

- Erste Frage: »Wenn du dich abgrenzt, dann bist du kein guter Mensch. Ist das wahr?«
- Rosi (unsicher): »Ja?«
- Zweite Frage: »Wenn du dich abgrenzt, dann bist du kein guter Mensch. Kannst du mit absoluter Sicherheit wissen, dass das wahr ist?«
- Rosi: »Nein, nicht zu 100 Prozent.«
- Dritte Frage: »Wie reagierst du, was passiert, wenn du diesen Gedanken glaubst: Wenn du dich abgrenzt, dann bist du kein guter Mensch?«

- Rosi: »Ich ärgere mich über die Nachbarin, aber unterdrücke diesen Ärger und reiße mich zusammen. Ich fühle mich auch schuldig ihr gegenüber und habe ein schlechtes Gewissen. Am stärksten spüre ich das im Magen und im Hals.«
- Vierte Frage: »Wer wärst du ohne diesen Gedanken?«
- Rosi: »Freier. Ich könnte ihr einfach sagen, dass ich nicht möchte, dass sie so oft kommt.«

Danach drehen wir den Gedanken um. Der Ursprungssatz war: »Wenn ich mich abgrenze, dann bin ich kein guter Mensch.«

- Die erste Umkehrung ist: »Auch wenn ich mich abgrenze, bin ich ein guter Mensch.«

Rosis Gründe: »Ob ich ein guter Mensch bin oder nicht, hat nichts damit zu tun, ob ich mich abgrenze. Ich kann ja dennoch für die Nachbarin da sein, wenn sie mich braucht, auch wenn ich nicht ständig zur Verfügung stehe.«

- Die zweite Umkehrung, die Rosi findet, lautet: »Wenn ich mich *nicht* abgrenze, dann bin ich kein guter Mensch.«

Rosi: »Ich bin kein guter Mensch mir gegenüber. Ich folge nicht dem, was sich für mich richtig anfühlt. Ich bin auch kein guter Mensch ihr gegenüber, weil ich ja eine Fassade aufbaue und nicht wahrhaftig mit ihr bin.«

Nachdem Rosi ihre Perspektive überprüft hat, geht sie zu ihrer Nachbarin und spricht mit ihr. Sie sagt ihr, wie sehr sie die gute Nachbarschaft schätzt und dass sie sich trotz dieser guten Atmosphäre in Zukunft mehr Abstand wünscht. Sie möchte nicht, dass die Nachbarin jeden Tag rüberkommt, und dennoch wäre sie immer da, falls sie Hilfe benötigt.

Die Nachbarin ist anfänglich verstört über Rosis Offenbarung. Aber nach einigen Wochen hat sich eine neue Dynamik zwischen ihnen eingespielt. Sie haben ein gutes Verhältnis, und Kaffee gibt es nur noch auf eine konkrete Einladung hin.

»Ich esse zu viel.«

Ariane kämpft seit Jahren mit ihrem Gewicht. Sie versucht immer wieder abzunehmen, was ihr aber nie nachhaltig gelingt. Als sie beginnt, Achtsamkeit zu praktizieren, entdeckt sie verschiedene Glaubenssätze, unter denen sie leidet, die sich rund um das Thema Essen und Gewicht drehen. Der Gedanke, der sie allerdings am meisten quält, lautet: »Ich esse zu viel.« Ihn nutzen wir für The Work:

- Erste Frage: »Du isst zu viel. Ist das wahr?«
- Ariane: »Ja.«
- Zweite Frage: »Du isst zu viel. Kannst du mit absoluter Sicherheit wissen, dass das wahr ist?«
- Ariane: »Nein, nicht mit absoluter Sicherheit.«
- Dritte Frage: »Wie reagierst du, was passiert, wenn du den Gedanken glaubst: Du isst zu viel?«
- Ariane: »Zuerst setze ich mich unter Druck. Wenn ich dann doch wieder zu viel gegessen habe, kritisiere ich mich und erlebe Schuld und Scham. Ich empfinde mich dann als minderwertig und unattraktiv. Außerdem fühle ich mich nicht zugehörig, da ich glaube, dass alle anderen etwas zum Anziehen finden, nur ich nicht
  Weil ich mich so unattraktiv finde, ziehe ich mich von anderen Menschen zurück. Ich bin wie gelähmt, schneide mich

von meinem Körper ab und komme gar nicht mehr in Bewegung. Ich sitze nur noch zu Hause rum und höre Musik. Dann beginnt der Teufelskreis. Weil ich denke: ›Jetzt ist eh schon alles egal!‹, beginne ich noch mehr zu essen
Ich spüre dann ein starkes Unwohlsein im Bauch.«

- Vierte Frage: »Wer wärst du ohne den Gedanken?«
- Ariane: »Ich wäre frei. Ich könnte von Moment zu Moment entscheiden, was sich gut anfühlt und ob ich etwas essen will oder nicht.«

Folgende Umkehrungen findet Ariane zu ihrem Glaubenssatz »Ich esse zu viel«:

- »Ich esse nicht zu viel.«

Arianes Gründe: »Es ist ja immer eine Interpretation, wie viel man isst oder wie wenig. Wer entscheidet, ob ich zu viel esse? Immer nur ich!«

Wenn wir mit einem Gedanken arbeiten, bei dem wir über uns selbst ein Urteil haben – wie in diesem Fall –, macht es Sinn, den Satz so umzudrehen, dass wir statt »Ich« »meine Gedanken« einsetzen:

- »Meine Gedanken essen zu viel.«

Arianes Gründe: »Es sind meine Gedanken, die immer wieder übers Essen fantasieren. Mein Körper hat oft gar keinen Hunger.«

Die nächste Umkehrung öffnet Ariane die Augen für ihr eigentliches Muster:

- »Ich denke zu viel.«

Arianes Gründe: »Ja, das stimmt! Wenn ich mich zum Beispiel über eine E-Mail von einem Kollegen ärgere, dann kümmere ich mich nicht um das, was ich da gerade denke und fühle, sondern fange an zu essen. Auch wenn ich mich einsam fühle, suche ich Trost im Essen.«

Nach dieser Erkenntnis beginnt Ariane zu beobachten, wann genau das Verlangen nach Essen in ihr ausgelöst wird. Sie bemerkt, dass Sehnsucht und Hunger bei ihr miteinander verschaltet sind. Jedes Mal, wenn sie eine emotionale Sehnsucht empfindet und diese nicht befriedigt wird, fängt sie an zu essen. Von jetzt an fragt sie sich jedes Mal, wenn der Impuls zu essen auftaucht, ob sie gerade Hunger oder Sehnsucht hat. Falls sie feststellt, dass sie irgendeine Sehnsucht verspürt, dann hinterfragt sie den Gedanken. Denkt sie zum Beispiel »Ich brauche die Anerkennung von dieser oder jener Person«, macht sie The Work mit diesem Glaubenssatz und dreht ihn dann um zu: »Ich brauche meine eigene Anerkennung.«

Wahlweise praktiziert sie auch mit dem Prinzip Innere Kindarbeit und gibt sich dann selbst die Anerkennung, den Trost und die Zuwendung, die sie sich wünscht. Sie stellt jedes Mal fest, nachdem sie mit The Work oder dem Prinzip Innere Kindarbeit geübt hat, dass der Impuls zu essen verschwunden ist. Innerhalb von vier Jahren verliert Ariane auf diese Weise fünfundzwanzig Kilo. Aber das Wichtigste für sie ist, dass sie etwas gewinnt: viel mehr innere Freiheit.

Die Praxis von Ariane ist übertragbar auf andere Gewohnheiten oder Süchte. Falls du durch Shopping, Gaming, Sex, Alkohol oder Ähnliches eine Sehnsucht nach Nähe, Trost, Geborgenheit oder Wertschätzung kompensierst, kannst du genauso vorgehen. Nimm es aus dem Beobachter heraus zuerst wahr, wenn der

Impuls zu konsumieren auftaucht. Dann schau präzise hin, ob er aus einer inneren Freiheit entsteht (siehe Kapitel zur elften Frage »Tue ich es aus Freiheit?«), oder ob irgendein Bedürfnis dadurch zugedeckt werden soll. Dann nutze The Work oder das Prinzip Innere Kindarbeit, um damit zu arbeiten.

»Mein Freund versteht mich nicht und lässt mich im Stich.«

Wenn Leonie eine Auseinandersetzung mit ihrem Freund hat, ist ihr Eindruck, dass er sich emotional zurückzieht und sie ignoriert. Daraufhin rutscht sie in einen Zustand von Panik und Hilflosigkeit. Der Gedanke, mit dem sie arbeitet, lautet: »Mein Freund versteht mich nicht und lässt mich im Stich.« Leonie schließt die Augen und versetzt sich dabei wieder in die Situation, als ihr Freund während eines Streits unvermittelt aufsteht und für eine längere Zeit im Badezimmer verschwindet.

- Erste Frage: »Dein Freund versteht dich nicht und lässt dich im Stich. Ist das wahr?«
- Leonie: »Ja.«
- Zweite Frage: »Dein Freund versteht dich nicht und lässt dich im Stich. Kannst du mit absoluter Sicherheit wissen, dass das wahr ist?«
- Leonie: »Nein, nicht ganz sicher.«
- Dritte Frage: »Wie reagierst du, was passiert, wenn du den Gedanken glaubst: Dein Freund versteht dich nicht und lässt dich im Stich?«
- Leonie: »Ich fühle mich so, als ob ich drei Jahre alt wäre: verzweifelt, panisch, schutzlos und verlassen. In meinem Körper

zieht sich alles zusammen, und mein Brustkorb fühlt sich an wie ein viel zu enges Korsett. In meinem Kopf rasen einerseits Tausende Gedanken herum, andererseits ist da ein dicker Nebel, und ich werde komplett handlungsunfähig. Ich ziehe mich immer weiter in mich zurück und warte darauf, gerettet zu werden. Ich warte, dass er zu mir kommt, mich in den Arm nimmt und sich entschuldigt.«

- Vierte Frage: »Wer wärst du ohne den Gedanken?«
- Leonie: »Ich wäre freier und hätte die Möglichkeit, erwachsener auf die Situation und den Streit zu schauen.«

Nachdem sie den Gedanken hinterfragt hat, findet Leonie folgende Umkehrungen:

- »Ich verstehe ihn nicht, und ich lasse ihn im Stich.«

Leonies Gründe: »Ich verstehe sein Verhalten tatsächlich nicht, und ich lasse ihn im Stich, weil ich nur mit meinen Emotionen und mit meinem Zustand beschäftigt bin. Ich sehe ihn und seine Perspektive und seine Bedürfnisse in dem Moment nicht.«

- Die zweite Umkehrung, die Leonie findet, lautet: »Ich verstehe mich nicht, und ich lasse mich im Stich.«

Leonie: »Absolut! Ich habe kein Verständnis für diesen hilflosen Anteil in mir und lasse mich im Stich, weil ich glaube, dass die Liebe und Zuwendung von außen kommen muss. Dadurch bin ich mit meiner Aufmerksamkeit nicht mehr bei mir, sondern immer bei dem, was die anderen gerade tun oder nicht tun.«

Diese Umkehrung hilft Leonie, mehr aus der Bedürftigkeit herauszukommen und selbstverantwortlicher mit ihren Emotionen umzugehen. Sie versteht, dass sie von ihrem Freund und auch von ihren Eltern genau das verlangt, was sie sich selbst geben müsste: Verständnis und Mitgefühl. Leonie übt von da an, sich selbst nicht mehr im Stich zu lassen und ihre Gefühlswelt nicht komplett von einer anderen Person abhängig zu machen. Dadurch findet sie mit der Zeit zurück in ihre eigene Kraft.

»Menschen sollten die Erde nicht so zerstören!«

Adam leidet, wenn er darüber nachdenkt, in was für einer Welt seine zwei Kinder aufwachsen werden. Jede Nachricht über den Klimawandel, die Vernichtung von Lebensräumen und über den Verlust der Artenvielfalt lässt bei ihm große Ängste entstehen. Sein Gedanke ist: »Menschen sollten die Erde nicht so zerstören!« Adam stellt sich bei der Beantwortung der Fragen vor, dass er durch den Wald geht und Bäume sieht, die vom Borkenkäfer befallen sind.

- Erste Frage: »Menschen sollten die Erde nicht so zerstören. Ist das wahr?«
- Adam: »Ja.«
- Zweite Frage: »Menschen sollten die Erde nicht so zerstören. Kannst du mit absoluter Sicherheit wissen, dass das wahr ist?«
- Adam: »Ja.«
- Dritte Frage: »Wie reagierst du, was passiert, wenn du den Gedanken glaubst: Menschen sollten die Erde nicht so zerstören?«
- Adam: »Ich fühle mich ohnmächtig und spüre es in der Brust. Mein Körper ist wie gelähmt. Ich habe Angst vor der Zukunft

und um meine Kinder. Alles sieht düster aus, wenn ich durch den Wald gehe. Ich werde auch wütend auf Politik und Wirtschaft, die so wenig dagegen unternehmen, und verurteile Leute, die in einem SUV sitzen.«

- Vierte Frage: »Wer wärst du ohne den Gedanken?«
- Adam (nimmt sich Zeit): »Ich fühle mich entspannter. Ich bin einfach ein Mann, der in einem Wald spazieren geht. Alles ist in Ordnung, und ich bin nicht mehr so gelähmt.«
- Die erste Umkehrung, die Adam findet, lautet: »Menschen sollten die Erde so zerstören.«

Diese Umkehrung erzeugt Widerstand bei ihm. »Nein! Menschen sollten die Erde nicht zerstören!«, sagt er energisch.

An dieser Stelle ist wichtig: Bei The Work geht es nicht darum, was wir uns wünschen, sondern was Realität ist und was nicht. Deswegen lautet die Frage: »Ist das *wahr*?«, weil wir die Wahrheit suchen und keine Wunschvorstellungen. Das bedeutet nicht, dass wir die Realität mögen müssen. Aber wenn wir nicht akzeptieren, wie sie ist, kämpfen wir gegen die Realität an, und dann – sagt Byron Katie gern – verlieren wir, und zwar zu 100 Prozent.

Wenn du Schwierigkeiten hast, Gründe zu finden, warum andere Menschen so handeln, wie sie handeln, kannst du dir die folgende Frage stellen: »Warum würde ich jemanden oder etwas ausbeuten? Warum würde ich lügen? Warum würde ich andere Menschen verletzen? Warum würde ich die Erde zerstören?«

Nach ein paar Minuten Meditation findet Adam folgende Gründe, warum Menschen die Erde so zerstören sollen:

- »Weil wir Menschen Angst davor haben, nicht genug zu bekommen. Weil wir erst einmal an uns selbst denken. Weil die meisten es so machen und wir es nicht anders gelernt haben.«

- Die zweite Umkehrung, die Adam findet, lautet: »Ich soll die Erde nicht so zerstören.«

Adams Gründe: »Ja, es gibt Punkte, wo ich noch achtsamer sein könnte mit den Ressourcen und wo ich auch erst mal an mich denke und an meine Bequemlichkeit.«

- Die dritte Umkehrung hat den größten Effekt auf Adam: »Meine Gedanken sollten die Erde nicht so zerstören.«

Adam: »Stimmt. In meinem Kopf ist die Erde schon am Ende. Ich fantasiere nur noch apokalyptische Bilder und nehme die Schönheit nicht mehr wahr, die immer noch da ist. Ich zerstöre dann in meiner Fantasie auch meine Kinder, weil ich keine Zukunft für sie sehe.«

Nach dieser Umkehrung entscheidet Adam, sich neu auszurichten. Er will nicht mehr den Angstfantasien seines Verstandes folgen. Dadurch verschwindet auch seine innere Lähmung. Er sieht Möglichkeiten, wo er sich noch mehr für den Umweltschutz einsetzen kann, und kommt in Bewegung, indem er beginnt, sich mit Gleichgesinnten zu vernetzen. Adam weiß zwar, wie viel getan werden muss, doch er geht jetzt Schritt für Schritt voran. Anstatt Angst zu bekommen, wenn er durch einen Wald geht, genießt er den Weg. Er bleibt im Hier und Jetzt und handelt nicht mehr aus Furcht, sondern aus Liebe zu seinen Kindern und zur Erde.

Dreizehnte Frage: »Wer oder was bin ich?«

Die letzte Frage.
Finde: Unendlichkeit.

Alle Fragen, die wir uns bis hierher gestellt haben, dienten dazu, uns von den Identifikationen so weit zu befreien, dass wir uns der letzten Frage zuwenden können: »Wer oder was bin ich?« Diese Frage will uns in die »endgültige Realität«, in das Absolute und die Freiheit führen.

Zur Erinnerung: Den Prozess der Bewusstwerdung können wir grob in drei Schritte unterteilen:

1. Die Identifikation: schmerzhafte emotionale Zustände, in denen wir Angst, Ärger oder Bedürftigkeit erleben.
2. Der Beobachter, die Beobachterin: der Zustand von reiner Präsenz und Achtsamkeit. Wir schaffen Abstand zu den Identifikationen und betrachten alles mitfühlend, mit Akzeptanz und aus der Stille.
3. Das Absolute/die endgültige Realität: Anstatt uns als individuelles Wesen mit einem abgetrennten Selbst zu erleben,

erkennen wir die Verbundenheit und Einheit mit allem. Sri Nisargadatta Maharaj drückt es so aus: »Das Universum ist unser Körper.«[51]

Ich möchte noch erwähnen, dass die allermeisten Menschen diesen Weg der Bewusstwerdung nehmen, wenn sie einen spirituellen Pfad betreten. Dennoch gibt es einige, die ohne »Umweg« von einer starken Identifikation in die endgültige Realität wechseln. Byron Katie zum Beispiel hat ohne irgendeine Bewusstseinspraxis den Sprung direkt vollzogen. Ihre Erweckung kam in einem Moment, als sie – nach jahrelanger schwerer Depression – mal wieder auf dem Boden schlief, da sie glaubte, nicht wertvoll genug zu sein, um im Bett zu übernachten. Sie wachte morgens auf, weil eine Kakerlake über ihren Fuß kroch. Doch anstatt daraufhin noch tiefer in das Leiden zu rutschen, brach sie in schallendes Gelächter aus. Sie begriff, dass – zuvor im Schlaf – alles in Ordnung war und das Leiden erst dann beginnt, wenn Gedanken hereinkommen, deren Perspektive sie glaubt. Ihre Aufmerksamkeit löste sich daraufhin von den schmerzhaften Zuständen, und sie wurde frei.[52]

Dieses Beispiel einer Erweckung ohne vorherige Bewusstseinspraxis ist allerdings nicht die Regel. Ich wollte es erwähnen, weil der Verstand – in seinem Wahn, sich mit anderen zu vergleichen – gern die Aufmerksamkeit auf die spektakulären Fälle lenkt und uns glauben macht, dass Bewusstwerdung so funktionieren muss. Der Pfad in die Freiheit ist jedoch für jede und jeden sehr individuell. Die allermeisten Menschen gehen den Weg Schritt für Schritt, um zur Erkenntnis ihres wahren Selbst zu gelangen.

Leisten wir nicht die Vorarbeit, zuerst von der Identifikation in den inneren Beobachter zu wechseln, ist es oft zu schwierig, sich der endgültigen Realität zuzuwenden. Unsere Ängste und

Sorgen, der Ärger und die Bedürftigkeit binden die Energie der Aufmerksamkeit dann so stark, dass es uns nur schwer gelingt, den Blick von unseren Problemen und schmerzhaften Zuständen abzuwenden. Wir erleben die Gravitation der jeweiligen Identifikation derart intensiv, dass wir immer wieder in einen Raum des Ego-Hauses zurückkehren. Versuchen wir den Blick der Aufmerksamkeit von der Anziehungskraft der Identifikation abzuziehen und hinein in die Weite (in das Absolute) zu lenken, grätscht direkt der Verstand hinein, mit einem großen »ABER ...«: »ABER meine finanziellen Sorgen! ABER meine Gesundheit und die Gesundheit meiner Familie! ABER der Klimawandel! ABER ich fühle mich so wertlos! ABER ich will einen Partner oder Kinder oder diesen bestimmten Job! ABER ...! ABER ...! ABER ...!«

Die Aufmerksamkeit hängt dann an dem jeweiligen Zustand fest wie an einem Gummiband und schnellt direkt wieder zurück, sobald wir sie woandershin lenken wollen. Durch die Praxis der Achtsamkeit und mithilfe der meditativen Fragen, die uns in den Beobachter holen, beginnen wir dieses Gummiband zu lösen. Wir finden einen gewissen Abstand zu den genannten Gedanken, können das Ego-Haus verlassen und stehen nun zumindest schon mal im Garten. Erst jetzt haben wir die Möglichkeit, den Blick in die Weite des Weltalls zu richten und uns der letzten Untersuchung zu widmen ...

Die Frage der Fragen: »Wer oder was bin ich?«

Fragt uns jemand, wer wir sind, dann antworten wir in der Regel mit unserem Namen oder erzählen eine biografische Geschichte: Ich bin so und so alt, komme aus diesem oder jenem Ort, bin in einer Beziehung oder nicht, habe Kinder oder auch nicht und arbeite in diesem oder jenem Bereich ... Doch alle biografischen Erzählungen, die wir über dieses Wesen machen, das hier gerade liest, treffen nie den Kern – nie die Essenz dessen, was du bist. Denn du könntest von heute auf morgen deinen Namen und deinen Job ändern und auch alle deine politischen Ansichten und religiösen Überzeugungen, dennoch bliebe der Kern in dir unberührt. Auch wenn du deinen gesamten Körper plastisch umoperieren lässt, dich einer Geschlechtsumwandlung unterziehst oder nach einem Unfall komplett neue Organe erhalten würdest, wärest »du« immer noch »du«. Sogar wenn du demenzkrank werden würdest und dich an nichts mehr erinnern könntest – nicht einmal an deinen eigenen Namen –, bliebe deine Essenz dennoch unberührt von dem Gedächtnisverlust. Doch was ist diese Essenz? Was können wir über das »Ich« sagen, das jenseits der Biografie ist?

Lass uns einen Baum als Beispiel heranziehen: Wenn wir eine Linde betrachten, dann ist es ebenfalls möglich, bestimmte biografische Aussagen über sie zu machen. Wir können unter anderem die genaue Baumart, das Alter und die Größe bestimmen oder sagen, ob sie unter irgendeiner Krankheit leidet. Manche Menschen werden staunend stehen bleiben, wenn sie an diesem Baum vorbeigehen, während andere ihn überhaupt nicht beachten. Ein Holzhändler oder jemand, der Lindenblüten für Tee ernten will, wird den Baum mit einem bestimmten Blick betrachten, während eine Biene oder ein Vogel, die vorbeifliegen, ihn auf eine vollkommen andere Art wahrnehmen.

Die biografischen Daten unserer Linde und die Perspektive, die wir auf sie haben, beziehen sich in der Regel immer auf ihre »historische Realität« und nie auf ihre Essenz. In dieser historischen Realität ist die Linde ein Objekt, das aus einem Samen hervorgegangen ist und eine bestimmte Geschichte hat. Diese

Geschichte hat immer einen Anfang und ein Ende: Der Baum wurde an einem bestimmten Ort geboren, als der Same seiner »Mutter« keimte. Im Verlauf ihres Lebens wächst die Linde heran, bildet Blüten und erzeugt eigene Samen. Irgendwann kommt dann der Zeitpunkt, wo sie stirbt, weil sie entweder ein gewisses Alter erreicht hat, krank geworden ist oder jemand sie fällt. Wenn wir auf diese Art und Weise auf die Linde schauen, dann sehen wir ausschließlich ihre historische Realität.

Als Forschende des Bewusstseins wollen wir jedoch in die endgültige Realität der Dinge vordringen – jenseits dessen, was sich ständig verändert. Wenn wir genau hinschauen, dann können wir erkennen, dass die Essenz des Lindenbaums nicht mit dem Samen beginnt und nicht mit seinem Tod endet. Denn unser Baum ist eine kontinuierliche Fortsetzung des Lebens. Die Ahnen des Baums haben sich zu 100 Prozent weitergegeben und sind immer noch in jeder Zelle zu finden. In der endgültigen Realität besitzt unser Baum keine eigenständige, abgetrennte Identität. Die Sonne ist ebenfalls im Organismus des Baumes anwesend, genauso wie der Regen und die Erde. Würde man die Ahnen, die Erde, den Regen oder die Sonne aus der Linde entfernen, würde sie aufhören zu existieren. Das gesamte Universum musste also zusammenkommen, damit sich dieser Lindenbaum vor uns manifestieren konnte.

Eine der großen Lehren des Buddhas besagt, dass nichts eigenständig oder unabhängig voneinander bestehen kann. Thay spricht von »Interbeing«, »Intersein«, um uns zu vermitteln, dass alles miteinander verbunden ist.

> Darum gibt es in der endgültigen Realität auch keinen Anfang und kein Ende. Da ist nichts, was kommt, und nichts, was geht. Alles ist immer anwesend.

Die Erkenntnisse des Buddhas finden sich auch in anderen spirituellen Traditionen wieder. Der Begriff *Advaita* aus der hinduistischen Schule wird mit »Nondualität« übersetzt. Nondualität bedeutet, dass in der absoluten Realität weder Subjekt noch Objekt zu finden sind. Da wir in unserer Essenz keine abgetrennte Identität haben, sind wir eins mit der Welt. Erleuchtung erlebt eine Person dann, wenn sie sich dieser Einheit bewusst wird.

> Führen wir die Aufmerksamkeit wieder zurück in das Absolute, erwachen wir aus dem Traumzustand der imaginären Trennung.

Wenn Jesus sagt: »Ich bin der Sohn Gottes«, dann will er sich mit dieser Aussage nicht erheben und als etwas Einzigartiges darstellen. Er will uns sagen, dass er der Sohn Gottes ist, genauso wie jeder und jede von uns Sohn oder Tochter Gottes ist. Auf dieselbe Weise, wie das gesamte Universum zusammengekommen ist, um den Lindenbaum zu erschaffen, ist es zusammengekommen, um dich zu erschaffen. Da ist kein Unterschied zwischen der Quelle, die in dir wirkt, in dem Lindenbaum oder in der Fliege, die gerade vorbeifliegt.

Es reicht allerdings nicht, wenn wir die endgültige Realität auf einer rein kognitiven oder intellektuellen Ebene begreifen. Wir könnten Jahrzehnte damit verbringen, Äpfel zu studieren und Promotionen über die Systematik der verschiedenen Arten zu verfassen. Die unmittelbare Erfahrung geschieht jedoch in dem Moment, wo wir in einen Apfel hineinbeißen und ihn probieren.

> Um die endgültige Realität zu berühren,
> musst du innerlich still werden und deine
> Aufmerksamkeit zurück zu der Quelle führen,

die bereits da war, bevor du dich mit irgendetwas identifiziert hast.

Übung

»Wer oder was bin ich?«

Die Frage »Wer oder was bin ich?« ist eine Meditation, mit der du dich konstant an dem Ort deines Ursprungs hältst. Nimmst du wahr, dass du in eine neue Identifikation gerutscht bist, lenkst du die Aufmerksamkeit erneut auf die göttliche Essenz, die schon immer da war. Dadurch bleibt dein Blick beständig auf das Absolute in deinem Herzen ausgerichtet. Erinnere dich daran, wie es ist, wenn du verliebt bist. Dann nämlich ist deine Aufmerksamkeit während des Alltags immer wieder bei der geliebten Person. Genauso hältst du deinen Fokus an dem Ort des reinen Seins. Sei verliebt in das reine Sein. Sei verliebt in die unendlich stille Weite in dir. Hier kannst du zu der Erkenntnis kommen, dass du nichts bist oder alles. Je nachdem. In dieser Erfahrung spürst du Liebe, Glück, Freiheit oder Stille.

Je tiefer du in diese zeitlose Unendlichkeit hineinschmilzt, desto mehr wirst du erfahren, dass da nie ein Abstand zwischen dir und dem Göttlichen war.

Die praktische Anwendung der Fragen

Die dreizehn Fragen, die ich dir in diesem Buch vorgestellt habe, wollen dich in deinem Alltag immer wieder in den inneren Beobachter, die innere Beobachterin führen, damit du mit Mitgefühl und Klarheit auf dich und die Welt schauen kannst. Von diesem Ort der Wahrnehmung aus kann dann Transformation und Heilung stattfinden. Als Bedienungsanleitung für die Fragen gebe ich dir hier zum Abschluss noch eine Übersicht mit auf den Weg, die dich dabei unterstützen kann, die Fragen praktisch anzuwenden. Du kannst sie in deinem Alltag jederzeit zwischendurch nutzen – und vor allem dann, wenn du in irgendeine Art von Leiden hineingerutscht bist.

Zuallererst ist es notwendig, dass du wahrnimmst, in welchem emotionalen Zustand du dich befindest. Deine Emotion ist das Barometer, das dir anzeigt, ob du eine Perspektive eingenommen hast, unter der du leidest. Du befindest dich dann in einem Raum des bei der sechsten Frage beschriebenen Ego-Hauses. Es ist deine Verantwortung, dich um deine mentale Gesundheit zu kümmern und dich aus diesem Zimmer und der Perspektive zu befreien. Folgende Emotionen sollten dir als innere Glocke dienen und dir anzeigen, dass du nicht frei bist: Angst, Sorge, Ärger, Wut, Bedürftigkeit und Gier.

Du kannst bei jeder Emotion verschiedene Fragen nutzen und hast immer viele Möglichkeiten, damit zu arbeiten. Schau, welche für dich am besten funktionieren, und experimentiere mit all den Angeboten, die ich dir in diesem Buch machen durfte.

Übung

Bei Ängsten und Sorgen

- Stell dir die erste Frage: »Wo ist meine Aufmerksamkeit?«

Hast du Ängste oder Sorgen, bist du entweder in der Zukunft oder in der Vergangenheit unterwegs. Hole die Aufmerksamkeit zurück ins Hier und Jetzt.

- Oder du nutzt die zweite Frage: »Was ist im Hier und Jetzt nicht in Ordnung?«

Du bist gerade ein Mann oder eine Frau, die steht, sitzt oder liegt. Nutze die Frage, um präzise zu schauen, was in diesem Augenblick nicht in Ordnung ist.

- Oder du fragst: »Was ist meine größte Angst?« (vierte Frage).

Suche den Gedanken und arbeite dann mit The Work (siehe Kapitel zur zwölften Frage »Bin ich sicher?«) oder mit dem »Prinzip Innere Kindarbeit« (siehe Kapitel zur achten Frage »Was braucht es?«).

- Auch die fünfte und sechste Frage kannst du nutzen: »Wer spricht da gerade?« und »In welchem Raum befinde ich mich?«

Erkenne zuerst die Stimme, die gerade in deinem Kopf spricht (hier wahrscheinlich Sorge, Kritiker oder Antreiber), und dann den Raum, in den sie dich hineinzieht. Indem du die Stimme und den Raum identifizierst, bekommst du ein wenig mehr Abstand zu ihnen.

- Oder du fragst dich: »Fühlt es sich gut an?« (zehnte Frage).

Wenn du dich davor fürchtest, eine Entscheidung zu treffen, dann schaue in dein Herz, was sich gut anfühlt (»Kaffee oder Tee?«).

- Die Frage aller Fragen kann dich ebenfalls leiten: »Wer oder was bin ich?« (dreizehnte Frage).

Erkenne, dass du nicht allein und nicht getrennt bist.

Bei Ärger und Wut

- Frage dich: »Habe ich Mitgefühl?« (zweite Frage).

Finde Verständnis und Vergebung für dich und andere Menschen.

- Oder du stellst dir die fünfte oder sechste Frage: »Wer spricht da gerade?« und »In welchem Raum befinde ich mich?«

Erkenne zuerst die Stimme (hier wahrscheinlich Kritiker oder Anspruch), die gerade in deinem Kopf spricht, und dann den Raum, in den sie dich hineinzieht. Indem du die Stimme und den Raum identifizierst, bekommst du ein wenig mehr Abstand zu ihnen.

- Auch die siebte Frage ist hilfreich: »Beobachte ich aus der Stille?«

Kannst du wahrnehmen, ohne zu diskriminieren und ohne direkt in Bewertungen zu verfallen?

- Oder du arbeitest mit der zwölften Frage: »Bin ich sicher?«

Hinterfrage mit The Work deine Perspektive und die Urteile, die du gegenüber anderen oder dir selbst hast.

Bei Bedürftigkeit und Gier

- Stell dir die dritte Frage: »Was ist im Hier und Jetzt nicht in Ordnung?«

Benötigst du gerade wirklich das, was du glaubst haben zu müssen?

- Oder du fragst: »Wer spricht da gerade?« und »In welchem Raum befinde ich mich?« (fünfte und sechste Frage).

Erkenne zuerst die Stimme, die gerade in deinem Kopf spricht (hier wahrscheinlich Antreiber und Anspruch), und dann den Raum, in den sie dich hineinzieht. Indem du die Stimme und den Raum identifizierst, bekommst du ein wenig mehr Abstand zu ihnen.

- Hilfreich kann auch die achte Frage sein: »Was braucht es?«

Praktiziere mit dem Prinzip Innere Kindarbeit, um dir selbst das zu geben, was du benötigst.

- Oder du stellst die elfte Frage: »Tue ich es aus Freiheit?«

Konsumierst du aus Freiheit oder um etwas wegzudrücken oder weil du etwas nicht fühlen willst?

Essenzen

Auf den nachfolgenden Seiten findest du die Essenzen aus dem gesamten Buch noch einmal übersichtlich aufgelistet. Nutze sie als tägliche Meditation oder Affirmation, um dich innerlich neu auszurichten.

- Je nachdem, in welchem inneren Zustand wir uns befinden – wie unsere mentale Gesundheit gerade ist –, entscheiden wir über Glück oder Unglück für uns und unsere Umwelt.

- Wenn du jedoch beginnst, dieses Objekt zu kommentieren und zu beurteilen, verliert es seine Unschuld. Das ist der Augenblick, wo du etwas von dem Objekt haben willst oder nicht haben willst.

- Da, wo sich deine Aufmerksamkeit befindet, fließt deine Energie hin. Dort entsteht deine Realität.

- Jede spirituelle Praxis möchte dich darin trainieren, deine Aufmerksamkeit zu lenken und zu leiten.

- Bloß weil eine Stimme in deinem Kopf auftaucht, bedeutet das nicht, dass du diese Stimme bist oder dass der Gedanke wahr sein muss!

- Glauben wir dem Verstand mit seiner Einschätzung, nehmen wir eine bestimmte Perspektive im Bewusstseinsfeld ein.

- Taucht ein Gedanke auf, der viel Masse/Energie hat, dann wird die Aufmerksamkeit zwangsläufig in seine Richtung gezogen.

- Die Energie eines Gedankens hängt immer davon ab, ob du ihn glaubst oder nicht. Je stärker der Glaube an diesen Gedanken, desto größer ist seine Masse und somit die Anziehungskraft.

- Die Aufmerksamkeit wird sich immer dem Gedanken im Feld zuwenden, der die höchste Masse/Energie – also den stärksten Glauben – mit sich trägt.

- Ein Gedanke, der geglaubt wird, erzeugt unmittelbar eine Handlung.

- Der Verstand kreiert das Ego.

- Der Beobachter ist die liebevolle Präsenz in uns, die alles wahrnimmt.

- Die Stille war zuerst da. Du kommst aus der Stille. Alles ist aus der Stille geboren und fällt in die Stille zurück. Die

Geräusche, Töne und Stimmen sind nur kurze Unterbrechungen der immerwährenden Stille. Diese Stille ruft dich wortlos: »Komm nach Hause! Komm nach Hause!«

- Wenn wir körperliche Gewohnheiten verändern, dann verändert sich auch unsere innere Gemütsverfassung.

- Habe ich gerade Mitgefühl? Habe ich Mitgefühl für mich selbst, für meine Mit-Menschen, für meine Mit-Tiere und meine Mit-Pflanzen?

- Sind wir in der Lage, die Realität zu erkennen, dann haben wir automatisch mehr Mitgefühl.

- Die liebevolle Wahrnehmung. Dieser zweite Schritt macht die Achtsamkeit erst zur Achtsamkeit!

- Beobachte die Energie, mit der du etwas tust. Denn diese Energie bleibt in der Welt. Sie ist dein Vermächtnis an die Welt. Ist es eine Energie von Gewalt, Gier und Furcht, die du nach draußen tragen willst, oder eine von Nächstenliebe, Barmherzigkeit und Mitgefühl?

- Neben Darwins »Überlebensrecht des Stärkeren« taucht jetzt ein neuer Grundsatz auf: »Die Stärke des Mitgefühls«.

- Gleichmut und Akzeptanz öffnen die Scheuklappen, die uns der Verstand angelegt hatte, und wir haben jetzt die Möglichkeit, ein großes Spektrum an Perspektiven einzunehmen.

- Die Handlung, für die wir uns entscheiden, ist nicht ausschlaggebend. Die wesentliche Frage ist immer: Aus welcher inneren Haltung heraus begehen wir sie?

- Akzeptanz zu praktizieren bedeutet also auf keinen Fall, alles nur unwidersprochen hinzunehmen und nicht zu handeln, sondern uns zuerst in einen Zustand von Gleichmut und Frieden zu versetzen, bevor wir aktiv werden oder eine Entscheidung treffen. Das Motto ist: Erst akzeptieren, dann agieren.

- Vergebung zu erfahren bedeutet nicht, dass wir keine Verantwortung für unsere Handlungen übernehmen müssen. Vergebung bedeutet, dass wir Frieden machen mit der Vergangenheit.

- Wir sind an einem Punkt angelangt, wo wir dem Teenagerstadium des Bewusstseins entwachsen und unser Schicksal selbst in die Hand nehmen müssen und können.

- Es ist ein besonders geschickter Trick des Egos, uns davon zu überzeugen, dass wir es sind, die da sprechen, da der Dialog schließlich in uns stattfindet.

- Einer der wichtigsten Schritte in der Achtsamkeitspraxis ist, dass wir die Vorstellung aufgeben, die Stimme in unserem Kopf zu sein.

- »Ist das, was ich gerade tue, *nachhaltig* gut für mich und andere?«

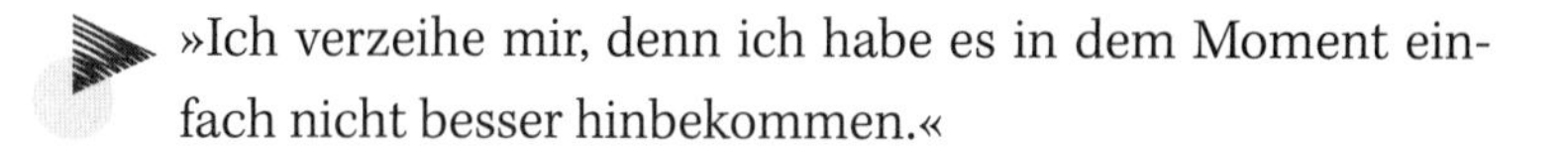

- »Ich verzeihe mir, denn ich habe es in dem Moment einfach nicht besser hinbekommen.«

- »Erstens verzeihe ich mir, und zweitens übernehme ich Verantwortung für mein Handeln.«

- Das Leben lebt uns bereits, auch ohne unser Zutun.

- Betrachte alle Gedanken als etwas Fremdes und triff die Entscheidung, nicht mit ihnen in Kontakt zu gehen. Ignoriere sie.

- Wir benötigen unseren Verstand nicht, um bewusst zu sein!

- Der Verstand ist ein guter Ratgeber. Wir negieren oder unterdrücken ihn nicht. Doch nachdem wir alle Informationen von ihm eingesammelt haben, finden wir unsere Entscheidungen an einem Ort der Stille und des Mitgefühls. Nur eine Instanz, die außerhalb des Verstandes und des Denkens steht, kann zu einem weisen Urteil kommen.

- Die Stille – nicht das Denken – ist unser natürlicher Zustand.

- Halte dein Bewusstsein wie einen stillen See, den du auf keinen Fall in Bewegung bringen willst.

- Unserem Herzen von Moment zu Moment zu folgen ist die wichtigste Aufgabe, die wir haben.

- Bewusstsein schafft Transformation.

- »Zu wissen, dass du ein Gefangener des Verstandes bist, ist der Beginn der Weisheit.« (Sri Nisargadatta Maharaj)

- »Was sollte anders sein, oder wie hätte die Situation anders sein sollen?«

- Darum gibt es in der endgültigen Realität auch keinen Anfang und kein Ende. Da ist nichts, was kommt, und nichts, was geht. Alles ist immer anwesend.

- Führen wir die Aufmerksamkeit wieder zurück in das Absolute, erwachen wir aus dem Traumzustand der imaginären Trennung.

- Um die endgültige Realität zu berühren, musst du innerlich still werden und deine Aufmerksamkeit zurück zu der Quelle führen, die bereits da war, bevor du dich mit irgendetwas identifiziert hast.

- Je tiefer du in diese zeitlose Unendlichkeit hineinschmilzt, desto mehr wirst du erfahren, dass da nie ein Abstand zwischen dir und dem Göttlichen war.

Die dreizehn Fragen auf einen Blick

- Erste Frage: »Wo ist meine Aufmerksamkeit?«
- Zweite Frage: »Habe ich Mitgefühl?«
- Dritte Frage: »Was ist im Hier und Jetzt nicht in Ordnung?«
- Vierte Frage: »Was ist meine größte Angst?«
- Fünfte Frage: »Wer spricht da gerade?«
- Sechste Frage: »In welchem Raum befinde ich mich?«
- Siebte Frage: »Beobachte ich aus der Stille?«
- Achte Frage: »Was braucht es?«
- Neunte Frage: »Woher kenne ich das?«
- Zehnte Frage: »Fühlt es sich gut an?«

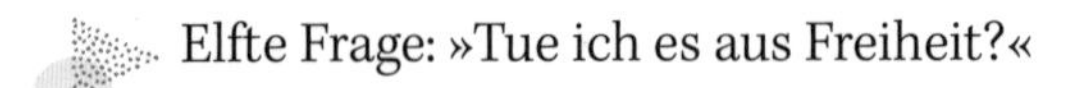
- Elfte Frage: »Tue ich es aus Freiheit?«

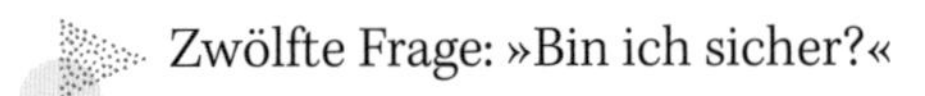
- Zwölfte Frage: »Bin ich sicher?«

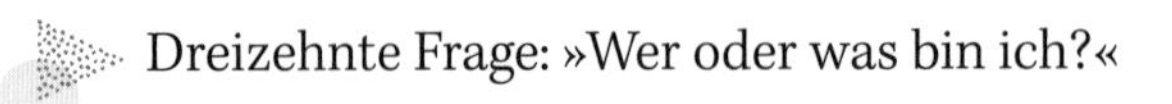
- Dreizehnte Frage: »Wer oder was bin ich?«

Anmerkungen

1 https://www.mentalhealth.gov/basics/what-is-mental-health (zuletzt abgerufen: 18.11.2021, übersetzt vom Autor).

2 https://www.unep.org/news-and-stories/press-release/unite-human-animal-and-environmental-health-prevent-next-pandemic-un?_ga=2.204309849.852983551.1617962857-522606621.1617962857 (zuletzt abgerufen: 18.11.2021).

3 https://www.rki.de/DE/Content/Gesundheitsmonitoring/Gesundheitsberichterstattung/GBEDownloadsB/frauenbericht/08_Gewalt_gegen_Frauen.pdf?__blob=publicationFile (zuletzt abgerufen: 18.11.2021).

4 Siehe World Health Organization (Hg.): Global and Regional Estimates of Violence against Woman, WHO, Genf 2013.

5 https://eige.europa.eu/publications/cyber-violence-against-women-and-girls (zuletzt abgerufen: 18.11.2021).

6 Norman Wadell: The Unborn, North Point Press 2002.

7 Er schrieb unter anderem das Buch: Frag den Buddha – und geh den Weg des Herzens, Kösel 1995.

8 Mircea Eliade: Schamanismus und archaische Ekstasetechnik, Suhrkamp 1975.

9 Informationsquellen zu diesen Themen sind unter anderem: https://www.wwf.de/themen-projekte/plastik/mikroplastik,
https://www.umweltbundesamt.de/umwelttipps-fuer-den-alltag/mobilitaet/flugreisen#gewusst-wie,

https://www.umweltbundesamt.de/presse/pressemitteilungen/ernaehrung-der-deutschen-belastet-das-klima (alle zuletzt abgerufen: 18.11.2021).

10 https://www.wwf.de/aktuell/insektensterben-stoppen/insekten sterben-hintergrundinformationen/ (zuletzt abgerufen: 18.11.2021).

11 https://www.nabu-rinteln.de/artenschutzprojekte/hautflügler/wenn-menschen-per-hand-bestäuben-müssen/ (zuletzt abgerufen: 18.11.2021).

12 https://www.zeit.de/zustimmung?url=https%3A%2F%2Fwww.zeit.de%2Fwissen%2Fumwelt%2F2020-05%2Fabholzung-rueckgang-weltweit-fao-global-forest-resources-assessment, https://www.sueddeutsche.de/wissen/starkregen-hochwasser-klima wandel-1.5354563?ieditorial=0 (beide zuletzt abgerufen: 18.11.2021).

13 https://islam-kompakt.de/barmherzigkeit-im-islam/ (zuletzt abgerufen: 18.11.2021).

14 Michael Tomasello: Warum wir kooperieren, Suhrkamp 2010.

15 https://www.sueddeutsche.de/wissen/meditation-spuren-im-kopf-1.2339128 (zuletzt abgerufen: 18.11.2021).

16 Sri Nisargadatta Maharaj: I Am That, übersetzt von Maurice Frydman, Chetana Pvt. Ltd. (Hg.), Revised Edition, 2003.

17 Thich Nhat Hanh: »History of Engaged Buddhism. A Dharma Talk«. Hanoi, Vietnam, May 6–7, 2008:, *Human Architecture: Journal of the sociology of Self-Knowledge* 6.3 (2008), S. 29–36.

18 Dietrich Bonhoeffer: Widerstand und Ergebung, Gütersloher Verlagshaus 1998, Band 8, S. 34.

19 Martin Luther King Jr.: »Remaining Awake Through a Great Revolution«. Rede für National Cathedral, März 1965. Zu finden zum Beispiel unter: https://speakola.com/ideas/martin-luther-king-jr-how-long-not-long-1965 (zuletzt abgerufen: 18.11.2021, übersetzt vom Autor).

20 Albert Schweitzer: Predigten 1898 bis 1948, C. H. Beck 2001, S. 212.

21 Mohamedou Ould Slahi: Das Guantanamo-Tagebuch unzensiert, siehe https://keough.nd.edu/torture-forgiveness-guantanamo-bay, https://www.cbsnews.com/news/ex-gitmo-detainee-on-torture-they-broke-me/ (zuletzt abgerufen: 18.11.2021).

22 Siehe zum Beispiel Ananda W. P. Guruge: The Buddha's Encounter with Mara, 1991.

23 Matthäus 4,11.

24 https://www.umweltbundesamt.de/sites/default/files/medien/2218/publikationen/umid_1_2016_uba_laerm.pdf (zuletzt abgerufen: 18.11.2021).

25 C. G. Jung: Archetypen. Urbilder und Wirkkräfte des kollektiven Bewusstseins, Edition C. G. Jung, Neuausgabe 2021. Hal und Sidra Stone: Du bist viele, Heyne 1997.

26 J. R. R. Tolkien: The Fellowship Of The Ring, HarperCollins 2005, S. 702.

27 Matthäus 16, 23.

28 Zum Beispiel nachzulesen in Thich Nhat Hanh: Wie Siddhartha zum Buddha wurde, O. W. Barth 2020.

29 https://www.swr3.de/aktuell/nachrichten/ungarn-gesetz-lgbtq-zensur-homosexuelle-100.html. Siehe auch: https://www.mdr.de/nachrichten/welt/osteuropa/land-leute/polen-schwule-lesben-aktivist-interview-100.html (beide zuletzt abgerufen: 18.11.2021).

30 https://www.theguardian.com/music/2014/jun/22/sting-six-children-not-inherit-180m-fortune. Zum Thema Glück und Geld: https://www.sueddeutsche.de/geld/forschung-zur-zufriedenheit-mehr-geld-mehr-glueck-1.2370429 (beide zuletzt abgerufen: 18.11.2021).

31 https://iopscience.iop.org/article/10.1088/1748-9326/11/8/084011 (zuletzt abgerufen: 18.11.2021).

32 https://www.spiegel.de/gesundheit/diagnose/weltgesundheitsorganisation-jedes-jahr-sterben-acht-millionen-menschen-durch-tabak-a-1279257.html (zuletzt abgerufen: 18.11.2021).

33 https://projekte.sueddeutsche.de/artikel/politik/tempolimit-auf-autobahnen-steuer-frei-e569092/ (zuletzt abgerufen: 18.11.2021).

34 https://www.leopoldina.org/uploads/tx_leopublication/2021_Factsheet_Klimawandel_web_01.pdf (zuletzt abgerufen: 18.11.2021).

35 Siehe beispielsweise: https://www.dw.com/de/menschenrechtler-fordern-mehr-druck-auf-china/a-50580417, https://www.hrw.org/report/2018/09/09/eradicating-ideological-viruses/chinas-campaign-repression-against-xinjiangs. Zur möglichen wirtschaftlichen

Verstrickung siehe: https://www.sueddeutsche.de/wirtschaft/menschenrechte-china-uiguren-deutsche-firmen-1.5401700 (alle zuletzt abgerufen: 18.11.2021).

36 Ein paar Quellen zum strukturellen Rassismus hierzulande: https://www.bpb.de/gesellschaft/migration/dossier-migration/223738/rassismus, https://www.bundestag.de/resource/blob/830078/32be74fa026d161e11c6bd8fee1787f8/WD-1-001-21-pdf-data.pdf, https://mediendienst-integration.de/artikel/was-ist-struktureller-rassismus.html (alle zuletzt abgerufen: 18.11.2021).

37 Suzanne Simard: Die Weisheit der Wälder, btb 2022.

38 Stefano Mancuso: Die Intelligenz der Pflanzen, Kunstmann 2015.

39 Matthäus 18, 3.

40 Adrian Furnham, Emma Reeves und Salima Budhani: »Parents Think Their Sons Are Brighter Than Their Daughters: Sex Differences in Parental Self-Estimations and Estimations of Their Children's Multiple Intelligences«, *The Journal of Genetic Psychology* 163.1 (2002), 34–39. Siehe auch: DOI: 10.1080/00221320209597966 (zuletzt abgerufen: 18.11.2021).

41 https://de.statista.com/infografik/13168/zahl-der-weiblichen-ceos-wird-deutlich-ueberschaetzt/, https://www.destatis.de/DE/Themen/Arbeit/Arbeitsmarkt/Qualitaet-Arbeit/Dimension-1/frauen-fuehrungspositionen.html (beide zuletzt abgerufen: 18.11.2021).

42 Mary Ann Sieghart: The Authority Gap, Penguin 2021. Siehe auch: https://www.bpb.de/gesellschaft/gender/frauen-in-deutschland/49400/fuehrungspositionen (zuletzt abgerufen: 18.11.2021).

43 https://www.uni-mannheim.de/newsroom/presse/pressemitteilungen/2018/juli/max-versus-murat-schlechtere-noten-im-diktat-fuer-grundschulkinder-mit-tuerkischem-hintergrund/ (zuletzt abgerufen: 18.11.2021).

44 https://www.ndr.de/fernsehen/sendungen/panorama3/diskriminierung150.pdf (zuletzt abgerufen: 18.11.2021).

45 https://fra.europa.eu/sites/default/files/fra_uploads/fra-2018-being-black-in-the-eu_en.pdf#page=15 (zuletzt abgerufen: 18.11.2021).

46 Diese Anekdote habe ich in Plum Village öfter gehört.

47 https://www.kenn-dein-limit.info/alkohol-und-aggression.html (zuletzt abgerufen: 18.11.2021).

48 Auch diese Anekdote wird häufig erzählt. Auch hier wird sie erwähnt: http://www.wearesentience.com/nisargadatta-on-eating-meat.html (zuletzt abgerufen: 18.11.2021).

49 Sri Nisargadatta Maharaj: I Am That, übersetzt von Maurice Frydman, Chetana Pvt. Ltd. (Hg.), Revised Edition, 2003. (Übersetzt vom Autor nach dem E-Book, Abschnitt 1125).

50 Unter anderem beschrieben in Byron Katie: Lieben, was ist, Arkana 2002.

51 Sri Nisargadatta Maharaj: I Am That, übersetzt von Maurice Frydman, Chetana Pvt. Ltd. (Hg.), Revised Edition, 2003. (Übersetzt vom Autor nach dem E-Book, Abschnitt 201).

52 Byron Katie: Lieben, was ist, Arkana 2002, S. 11.

Register